斯瑟蒂克
40周胎教方案

游　川　主编
汉　竹　编著

中国轻工业出版社

每时每刻，把深深的母爱倾注给腹中的宝贝。

斯瑟蒂克的启示
——胎宝宝都是天才

斯瑟蒂克的胎教实践证明，胎宝宝蕴藏着巨大的能力，胎宝宝在妈妈肚子里所听到的、感觉到的事情，都会深深地铭记在他们的脑子里。

胎宝宝的大脑很早就形成了

胎宝宝还只是在胚胎期，就已经有很出色的大脑了。人类的大脑从内侧往外分为古皮质、旧皮质、新皮质三层。胎宝宝的大脑也是按这样的顺序发育而成的。也就是说，大脑的这三层皮质在胎儿期就已经事先输入了生存所不可缺少的信息以及自然万物的知识，像一台电脑的存储器一样。

这些研究证明，胎宝宝是有记忆的，这正好为胎教的可行性奠定了科学基础，同时也让我们对胎宝宝的未来充满希望。

斯瑟蒂克胎教法的内涵

斯瑟蒂克胎教法的内涵非常简单，即“母亲在妊娠中把听到的、看到的、想到的事情，通过自己的声音、身体变化、心理状态等传递给胎宝宝，而接受了这一切的胎宝宝在出生时就会具有某种素养，这种素养会让孩子很快学会各种本领。这就是‘天才儿童’诞生于寻常百姓家的全部谜底。”

这也是我们在进行胎教过程中一直要遵循的原则。但是必须提醒各位的是，胎教的目的不是为了要生一个“天才儿童”，而是想让胎宝宝的发育更加健康。

因此，我们在做胎教时，决不能忘记将自己对孩子的爱和祝福，时时刻刻传递给胎宝宝。让胎宝宝在充满爱意的、非常自然的情况下接受胎教，这才是斯瑟蒂克胎教法最重要的一点。

斯瑟蒂克：我是这样进行胎教的

实子·斯瑟蒂克，一个出生在日本的普通女性，一个最典型的美国家庭主妇，同样也是一个创造育儿奇迹的伟大母亲。作为成功孕育了4个天才儿童的妈妈，实子用自己的语言，向大家讲述了培养天才宝宝的秘诀。其实，这并不复杂，只要你多一些爱，多一些耐心，你也一样能做到。

胎教始于优孕

“好的开始是成功的一半”，怀孕前的受精必须在最佳状态下进行，必须是最健康的精子和卵子。所以，妻子和丈夫都要做好准备，要在双方都感到最幸福的时刻进行受孕。

最重要的是，夫妻双方一定要彼此相爱，这种深厚的爱就是胎教最坚实的基础。

生活要以胎宝宝为中心

自从制定胎教计划之后，我的意识就一直围绕着孩子，生活也开始以孩子为中心。虽然约瑟夫和我都不抽烟、不喝酒，但是我知道，生活中除了烟和酒，还有很多物质都会对胎宝宝产生不利的影响，因此作为妈妈，一定要掌握这些知识，并将这些知识付诸于行动，才能使胎教取得更好的效果。

为胎教创造好的环境

为了和胎宝宝更好地进行心灵沟通，让我们一起在美好的世界里畅游，非常需要一个安静的令人舒畅的环境。一个安静舒适的环境可以减轻我的不安和担心，可以让我将满腔的爱都倾注在胎宝宝身上。

我们把家中为宝宝将来准备的房间布置好，作为进行胎教的场所。我认为理想的儿童房应该是朴素和平静的浅色调，因为这样能够使人的注意力不至于分散，更利于胎教的进行。

妈妈的态度和情绪最关键

我丈夫经常对我说：“最理解妈妈心情的就是肚子里的胎宝宝。如果把注意力集中在胎宝宝身上，那么你说的话和教给他的东西就会被他所接受。但是决不能对他表现出毫不负责或者抱怨的态度。只有以一种安定、平和和稳定的情绪保护着这个小生命，他才能安心地倾听你说话，学到更多的东西。”

准爸爸也是胎教主力军

胎教决不是我一个人完成的。在整个胎教过程中，准爸爸不仅需要帮助孕妈妈保持安定平和的心情，而且还要直接参与胎教。尤其是在向胎宝宝传递知识时，那些孕妈妈不太擅长的领域，就需要准爸爸出马了。

而且准爸爸更容易清晰地透过腹壁，让胎宝宝更熟悉他们的声音，从而产生一种信赖感。

⚜ “对话”，让胎宝宝了解世间百相

在整个孕期，我一直抱着这样的意识进行胎教，即胎宝宝一直在倾听我的声音，和我一起观赏景物，片刻不忘胎宝宝也是具有意识的。要把胎宝宝当做已经出生的小宝宝那样，耐心地同他分享我所听到的、看到的和感受到的所有事物。

孕妈妈要时刻保持强烈的探索心和求知欲，这对胎宝宝大脑的发育有着极大的影响。其实，一旦对某种事情感兴趣，不擅长的事情也会变得很有趣。

⚜ 音乐传递着“爱的信息”

音乐最能影响人的情绪，培养人丰富的感受性。所以，只要有时间，我就会哼唱一些歌曲，让胎宝宝不断地听到那些旋律动人的歌声，向他传递“爱的信息”。或是一起听音乐，培养胎宝宝的感受性。

优美的音韵会给胎宝宝留下美好的记忆，使他朦胧地感知世界的美好与和谐，并把“爱”深深刻在脑海里。

⚜ 用“画的语言”讲故事

培养胎宝宝想象力、独创性以及进取精神，最好的方法莫过于讲故事。我总是充满感情地朗读，将故事中的幻想世界，在大脑中形成一个个具体的形象，我暂且称之为“画的语言”，这样可以更加具体地将故事传递给胎宝宝，因为我认为胎宝宝已经有“心”了。

⚜ 用心感受“美”、描绘“美”

我经常会在一些画册中，感受那些赏心悦目的色彩和独特的构思，这些都是我要讲给胎宝宝听的。

当然，如果你对植物了如指掌，你可以讲植物；如果你的美术造诣很深，你可以讲美术；如果你擅长绘画和写作，你可以自己创作并讲给宝宝听。在你做这些时，所表现出的那种独创性，可以非常好地促进宝宝的想象力。

⚜ 散步也是不错的胎教方式

只要身体和气候条件允许，我都会尽量外出，创造接触各种事物的机会，为了达到更好的效果，我也会经常调整散步路线。

这样眼前出现的事物就不会一成不变了，从接触的人物、装饰、橱窗的商品、花的颜色、变幻的天空这些事物中，我总能发现更多新鲜和感兴趣的东西。

⚜ “闪光卡片”伴随胎宝宝一起学习

从妊娠第5个月开始，我就开始用事先准备好的“闪光卡片”，教胎宝宝学习文字、数字和图形了，这些卡片都是在白纸上用很鲜艳的颜色描绘出来的，这样会更加醒目。

在学习开始前，我总是把呼吸调整得深沉而平稳，然后把要教的内容在头脑中描绘出来，通过深刻的视觉印象，将卡片上的文字、数字、图形的形状和颜色，以及我的声音一起传达给胎宝宝。

胎教成功的诀窍，就是将三维要素而不是平面的形象导入到胎教中去。

和斯瑟蒂克一起，成就你的成功胎教

很多准爸爸孕妈妈都有这样的疑问，胎教该从什么时候开始？刚怀孕就做胎教会不会有点早了？关于这些问题，斯瑟蒂克的胎教实践就是最好的答案，即怀孕的开始就是胎教的开始。

本书遵循这一原则，从怀孕第1周就为你安排了正式的胎教内容，帮助你成功地迈开胎教第一步。

"对话胎宝宝"，聊你想聊的一切

"对话胎教"是斯瑟蒂克胎教中很重要也是最容易实现的一部分，你可以随时随地和胎宝宝聊你想聊的一切。

本书的"对话胎宝宝"，就是本着这一理念为你设计的，经常进行这种对话聊天，不仅可以让胎宝宝了解更多的知识，而且还可以增进母子感情，对你自己的情绪也是一种很好的调节。

"斯瑟蒂克胎教音乐"，抚摸幸福的乐章

斯瑟蒂克在怀孕时经常创造机会和胎宝宝一起听音乐，培养胎宝宝的感受能力。

因此，在"斯瑟蒂克胎教音乐"这个栏目中，特别挑选了一些自然、柔和、安静，能够让你感到幸福甜蜜的音乐，让你和胎宝宝一起享受悠扬温馨的音乐洗礼。

书中涉及到的曲目，你都可以在赠送的胎教音乐CD中找到。

"妈妈唱儿歌"，唤回童年的记忆

斯瑟蒂克的胎教实践证明，妈妈的歌声最能传递"爱的信息"。而儿歌欢快、活泼的旋律和充满童趣的内容，最容易被胎宝宝接受。

"妈妈读书时间"，让你静心的文字

孕妈妈的情绪和心态在整个胎教过程中最为关键，而阅读则是帮助孕妈妈静心的最好方式。本书在"妈妈读书时间"中特别安排了一些非常适合孕妈妈阅读的充满温馨、童趣的小文章，让你在这些美妙的文字中，收获一份安详与喜悦。

"欣赏名画"，创造"美"的世界

将我们感受到的"美"，通过语言，通过美好的视觉印象传递给胎宝宝，这对胎宝宝来说是非常好的体验。因此，本书设计了"欣赏名画"这一栏目，让你和你的胎宝宝一起分享你所感受到的"艺术美"，以及画作中所传达出来的那种对生命的热情与执着。

⚜ “胎教故事袋”，尽情地去想象

讲故事是培养胎宝宝想象力和创造力最好的方式。在“胎教故事袋”中，特别为你准备了一些内容愉快、能够唤起人的幸福感和希望的幼儿故事，让这些小故事带着你和你的胎宝宝进入斑斓的幻想世界。

⚜ “闪光卡片”，集中注意力学习

“闪光卡片”的学习，是斯瑟蒂克胎教中相对复杂，但也是最重要的一部分，本书的“闪光卡片”内容为你准备了色彩鲜艳、搭配合理的学习卡片，而且会告诉你如何更好地利用这些卡片，让你的胎宝宝更好地学习知识。

⚜ “准爸爸讲百科”，让你骄傲的对话

准爸爸做胎教是必不可少的环节，“准爸爸讲百科”栏目将是准爸爸大显身手的好机会，这些科学、有趣的小知识既可以作胎教内容，也可以作为将来的早教内容，而且准爸爸的这种参与还可以增进夫妻感情，安抚孕妈妈的不安情绪。

⚜ “胎教营养餐”，呵护你和胎宝宝

如果说具体的胎教内容是先锋部队，那么孕妈妈的营养就是整个部队的粮草供应，只有粮草充足，才能保证打胜仗，因此在“胎教营养餐”栏目中，为你精心准备了一道营养、可口同时又非常适合孕妈妈食用的菜品，帮孕妈妈为胎教做好营养储备。

⚜ 制定合理的胎教计划

以下表格是根据斯瑟蒂克胎教法为你设计的胎教计划表，你可以以此为参考。

孕期前4个月胎教内容计划表

胎教时间	胎教内容
早上起床、晚上睡觉前	向胎宝宝问早上好、晚安（准爸爸和孕妈妈一起问候）
清晨、工作间隙、晚饭后或者边工作边进行	听胎教音乐，哼唱你喜欢、熟悉的歌曲
随时随地	和胎宝宝聊天，包括所有你听到的、看到的、想到的事物
休息时间或者当你想要换换脑子、平静心情时	读一些你喜欢看的书，或者让你静心的小文章
清晨、工作间隙、晚饭后、睡觉前	给胎宝宝读胎教故事、童谣、唐诗，或者你自己创作的小儿歌等
清晨、工作间隙、晚饭后	做一些散步、瑜伽、体操等运动
清晨、晚饭后、周末	准爸爸讲自然、社会、科学等百科知识以及自己的见闻、兴趣、工作等
休息时间或者当你想要换换脑子、平静心情时	进行名画欣赏以及看一些富有创意的儿童画等

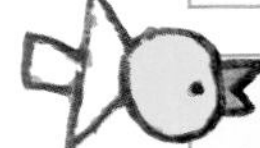

孕5个月到出生胎教内容计划表

胎教时间	胎教内容
早上起床、晚上睡觉前	向胎宝宝问早上好、晚安（准爸爸和孕妈妈一起问候）
清晨、工作间隙、晚饭后或者边工作边进行	听胎教音乐，哼唱你喜欢、熟悉的歌曲
随时随地	和胎宝宝聊天，包括所有你听到的、看到的、想到的事物
休息时间或者当你想要换换脑子、平静心情时	读一些你喜欢看的书，或者让你静心的小文章
清晨、工作间隙、晚饭后、睡觉前	给胎宝宝读胎教故事、童谣、唐诗，或者你自己创作的小儿歌等
清晨、工作间隙、晚饭后	做一些散步、瑜伽、体操等运动
清晨、晚饭后、周末	准爸爸讲自然、社会、科学等百科知识以及自己的见闻、兴趣、工作等
休息时间或者当你想要换换脑子、平静心情时	进行名画欣赏以及看一些富有创意的儿童画
清晨、晚饭后、周末等所有空闲时间	进行数字、加减法以及图形、颜色的学习
清晨、晚饭后、周末等所有空闲时间	学习临摹简单汉字以及拼写英文字母

目录

Part 1 孕早期（1~12周）

斯瑟蒂克告诉你——胎教从现在开始 …… 15

“当我得知脑的发育这么早就开始了，并且以如此快的速度，进行着这样一个进化发育的过程以后，我被胎儿所具备的伟大生命力所感动，同时也认识到胎儿的能力充满着神秘莫测的巨大可能性。”——实子·斯瑟蒂克

第1周 我还不知道你在哪儿 …… 16

第2周 等待最佳时机 …… 18

第3周 悄然发生的变化 …… 20

第4周 受精卵“安营扎寨”了 …… 22

第5周 你就像“小海马”一样 …… 24

第6周 心脏开始跳动喽 …… 27

第7周 小蚕豆一样的胎宝宝 …… 30

第8周 熟睡的“小动物” …… 33

第9周 小尾巴不见了 …… 35

第10周 已经像个小人儿了 …… 37

第11周 动来动去 …… 40

第12周 还不如我的手掌大 …… 43

Part 2 孕中期（13~28周）

斯瑟蒂克告诉你——这是胎教的加强期 …… 47

“当胎儿一会儿动动全身，一会儿像小鸟拍打翅膀一样活动手脚，仿佛用身体动作向你说话时，你一定要对此做出反应。因为随着这种母子纽带的日渐牢固，胎儿在智慧、情操方面的发育速度会呈几何级数增加。”——实子·斯瑟蒂克

第13周 更像个漂亮娃娃 …… 48
第14周 长出指纹了 …… 51
第15周 对你的感觉更真实 …… 54
第16周 你在打嗝吗 …… 57
第17周 小小“窃听者” …… 60
第18周 感受胎动 …… 65
第19周 是男孩还是女孩 …… 69
第20周 能感受到光了 …… 74
第21周 滑溜溜的 …… 79
第22周 长指甲喽 …… 84
第23周 皱皱的小老头 …… 89
第24周 可以漂浮啦 …… 93
第25周 “花样”胎动 …… 97
第26周 大脑快速发育中 …… 102
第27周 听得更清楚了 …… 107
第28周 爱学习的胎宝宝 …… 111

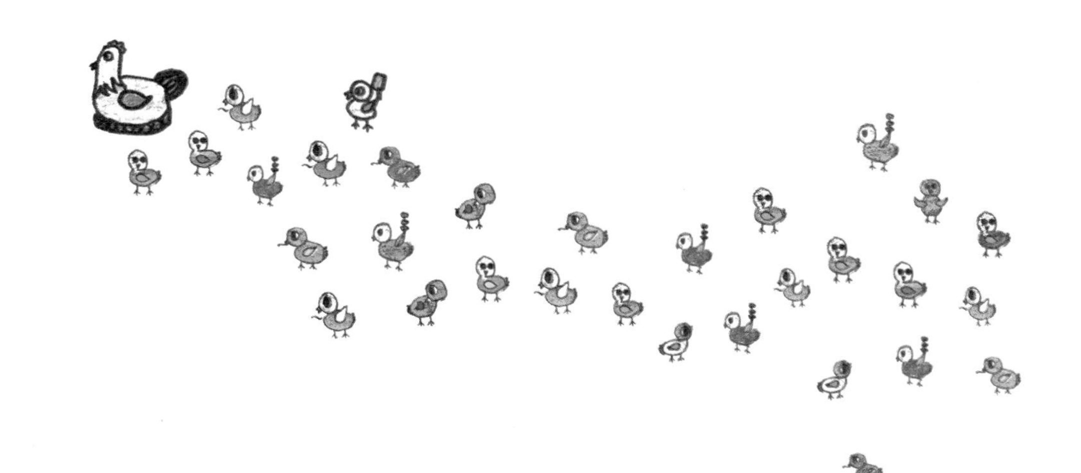

Part 3 孕晚期（29~40周）

斯瑟蒂克告诉你——这是胎教的关键期 …… 117

“我们每天以充满爱的声音对胎宝宝讲的一切，一定能在他头脑中的某一个地方留下印记，他在妈妈肚子里听到的、感觉到的、理解了的东西将会永不消失地影响他的一生，并一定会引导他走上幸福的人生之路。” ——实子·斯瑟蒂克

第29周 越来越不老实 …… 118

第30周 有规律的睡眠 …… 123

第31周 时开时闭的小眼睛 …… 128

第32周 皮下脂肪开始增加 …… 133

第33周 随时都会出来 …… 138

第34周 整个倒了过来 …… 143

第35周 现在就可以出生了 …… 148

第36周 圆滚滚的 …… 153

第37周 已经是足月儿了 …… 158

第38周 摆来摆去的小脑袋 …… 163

第39周 发育完全啦 …… 168

第40周 终于要见面了 …… 173

附录：出生后继续巩固胎教成果 …… 178

Part 1

孕早期（1~12周）

斯瑟蒂克告诉你——胎教从现在开始

“当我得知脑的发育这么早就开始了，并且以如此快的速度，进行着这样一个进化发育的过程以后，我被胎儿所具备的伟大生命力所感动，同时也认识到胎儿的能力充满着神秘莫测的巨大可能性。”

——实子·斯瑟蒂克

第1周 我还不知道你在哪儿

报告妈妈：我现在连影儿都没有呢，还仍然以卵子和精子的形式，分别寄存在妈妈和爸爸的身上，不过我能够感受到妈妈的召唤，在不久的将来，我就要进驻到你的身体里了，所以不要着急哦！

对话胎宝宝：好期待你的到来

我知道，现在你还没有来，但是我对你的期待却一直存在着。我总是会想，如果有一个可爱的小人儿，倚在我身边，将他那软软的小手，交给我握着，我俩一起呀呀儿语，一起做嘟嘟鬼脸，该多好啊……

学习一种让人静心的呼吸法

学习一种呼吸法吧，它能帮助你告别不良情绪，保持平和、愉悦的心情。

选择最自在的姿势

进行呼吸法的练习时，场地可以自由选择，坐在床上或者站着都可以。关键是腰背舒展，全身放松，微闭双眼，手可以放在任何你觉得舒服的部位。

吸、呼，保持节奏

用鼻子慢慢地吸气，在心里默默地慢数5下（大约5秒钟）。

吸气时，要让自己感到气体被储存在腹中，然后慢慢地将气呼出来。要缓慢地、平静地呼出来，呼气的时间是吸气时间的两倍。

斯瑟蒂克的提示

这种呼吸法有助于平复你的心情，尤其是在进行学习数字、算术、图形以及临摹汉字、字母这些胎教前，你可以借助这种方法，集中注意力。

妈妈读书时间

来吧，孩子

世界上有一种爱，最没有道理可讲，那就是母爱。

你十月怀胎，小心翼翼，经历着漫长的分娩过程，终于，那个小家伙亮出一声有力的啼哭，降临到这个世上。从此，这个毛茸茸、皱巴巴的小家伙就是你的孩子了！

看着他，你既欣喜又有种说不出的心酸与怜惜，那种感觉就像是跨越了千山万水，经历了千千万万个日夜的追寻，才最终和最爱的可人儿相见，那是无法言表却又异常深刻的。

当你怀抱着新生的宝宝，静静地凝视着他那红红的小脸，突然，一种无比柔软的母性涌上你的心头，紧接着，那早就蕴藏了好久的、就等着在某一刻集中迸发的、洁白的乳汁，就在孩子探索性的吸吮中朝他的小嘴喷射出来，这难道不足以让你深深震撼和感动吗？

从此，你将再也割舍不下你的孩子，你终于明白了什么叫做"他是属于你的，你也是属于他的"，你们将在这种神奇的爱的牵引中，踏上灿烂的、幸福的旅程。

准爸爸的胎教任务

在一个家庭中，男人永远都是撑住天的那个角色，总是在最关键的时刻显示出自己的重要性，当然在胎教过程中，准爸爸依然扮演着非常重要的角色。

关注妻子的情绪，做妻子的情绪调节师，经常鼓励、赞美妻子，让妻子时刻感受到幸福和甜蜜。

关注妻子的营养，做妻子的营养顾问，帮助妻子保持均衡营养，调节饮食习惯。

关注妻子的健康，做妻子的家庭护理大使，只有妈妈健康了，宝宝才会更健康。

亲自参与胎教，养成和胎宝宝聊天的习惯，并且通过抚摸和游戏增强与胎宝宝的互动。

斯瑟蒂克的提示

胎教决不是孕妈妈一个人完成的，这一点至关重要。准爸爸的胎教任务并不只是以上这几句话可以概括的，总之，准爸爸要全力去爱自己的妻子和宝宝，尽到一个丈夫、一个父亲应尽的责任。

从现在开始爱上散步

散步绝对是孕期最好的运动，即使你再不喜欢运动，也肯定不会拒绝散步的要求。

你可以在上下班时提前下车，步行完剩下的路程；可以在午饭后在单位附近逛逛，还可以在晚饭后和丈夫一起在小区附近走走；买菜、购物都可以是很好的散步时间。

你可以将散步时遇到的人、事讲给胎宝宝，比如蔚蓝的天空、像棉花糖一样的云彩、奔驰而过的汽车、漂亮的女孩儿、刚刚发芽的青草、梧桐的落叶等，这些都是很好的话题，可以借此向胎宝宝传递很多知识，同时又不受任何限制，何乐而不为呢！

胎教营养餐：早生贵子蜜

原料：

红枣、花生、蜂蜜各适量。

做法：

将红枣、花生用温水浸泡后，用小火煮熟，再加少量蜂蜜调匀就可以了。

营养提示：这一道简单可口的小甜点，既有早生贵子的美好寓意，又能够预防和治疗孕期贫血，是一道很好的孕期甜点。

第2周 等待最佳时机

报告妈妈：现在卵子已经在妈妈的体内经历了第一轮的“淘汰赛”，从近20名“选手”中脱颖而出了，妈妈要抓住这个好时机哦！

对话胎宝宝：你的脚步越来越近

亲爱的宝宝，这是关键的一周，爸爸妈妈已经为迎接你做好了准备，妈妈和爸爸都在殷切地盼望你的降临！想到将有一个可爱的宝宝孕育在妈妈的腹中，妈妈就感觉好幸福！你是上天赐予我们最珍贵的礼物，我最亲爱的宝宝，我的小天使即将来到人间。

开始记胎教日记了

现在就拿起笔，为你和你的宝宝记下一份属于你们的胎教日记吧！表格的形式可以避免漏掉某项内容，流水账的形式可以随心所欲。其实形式并不重要，关键是坚持下去。记下你为宝宝做过的点点滴滴，同时记下你的感受！这独一无二的日记，是宝宝成年后珍贵的礼物呢！

准爸爸的甜蜜任务

本周是妻子的排卵期，要升级做爸爸，就要抓紧时机！虽然你们已经计划好要宝宝，但是你的妻子依然期待你的热情主动。营造美妙的亲热氛围，和她全情投入，优质的宝宝，是完美性爱的结晶。

受孕的瞬间完全依靠时间的选择。在妻子排卵前后2天或在排卵的当天做爱，怀孕的可能性就非常大。所以准爸爸要合理安排好时间，按照妻子的习惯和爱好，开始你们的甜蜜任务吧，用对对方的爱，去迎接属于两个人的爱情结晶。

斯瑟蒂克的提示

夫妻彼此相爱，感觉最幸福的时刻就是受孕最佳时刻。夫妻双方的幸福感不但有利于受孕，更有利于胎宝宝的孕育和成长。

准备一张可爱的宝宝图

据说怀孕时多看漂亮宝宝，生出的宝宝也会很漂亮。还有种说法是：多看自己喜欢的宝宝图，生出的宝宝会比较像图上的宝宝！这和耳濡目染是一个道理，谁不想生个漂亮宝宝呢。所以，准爸爸，快为妻子准备一张可爱的宝宝图吧！看到可爱的宝宝，孕妈妈肯定会很开心，腹中的胎宝宝自然也会开心啊！

胎教营养餐：熘肝尖

原料：

鲜猪肝 300 克，胡萝卜片、笋片少许，料酒、酱油各 1 大匙，植物油、醋、盐、花椒油、葱、姜末、蒜片、淀粉各适量。

做法：

1. 猪肝切片，加盐、 淀粉抓拌匀，下五成热的油中煎炸，倒入漏勺沥干油。

2. 取小碗加入料酒、酱油、淀粉兑成芡汁备用。

3. 炒锅上火烧热，加少许底油，用葱、姜末、蒜片炝锅，加醋，下入胡萝卜片、笋片煸炒片刻。

4. 再下入猪肝片，浇入芡汁，翻炒均匀，淋花椒油，出锅装盘即可。

营养提示：经常食用猪肝，可以有效补充身体所需的铁元素。

第3周 悄然发生的变化

报告妈妈：一个坚强的精子已经“过五关，斩六将”，成为一个幸运儿和胜利者。很快就会成为一个受精卵，开始进行细胞分裂了。

对话胎宝宝：你从哪里来

淘气的宝宝，你是造物主最神奇的恩赐，我们无法知道你降临的确切时间，也许你现在已经到来，但是妈妈仍然毫无觉察，上天总是把最珍贵的礼物放在意料之外。亲爱的宝宝，虽然不知道你何时来临，但是妈妈和爸爸，一直怀着浓浓的爱等待着你。和我们捉迷藏的宝宝，妈妈好爱你！

哼唱一首快乐的歌

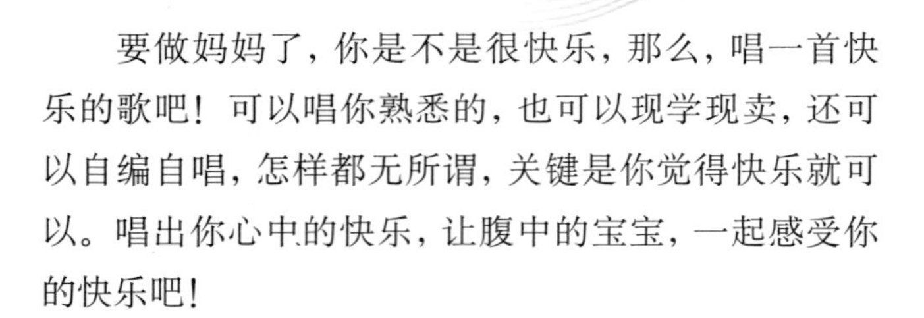

要做妈妈了，你是不是很快乐，那么，唱一首快乐的歌吧！可以唱你熟悉的，也可以现学现卖，还可以自编自唱，怎样都无所谓，关键是你觉得快乐就可以。唱出你心中的快乐，让腹中的宝宝，一起感受你的快乐吧！

斯瑟蒂克的提示

如果你不会唱，那么就听吧，或者只念下歌词，只要怀着甜蜜的心情，宝宝就能感受得到。据说，很多孩子出生之后，对妈妈怀孕时唱过的歌，非常容易就学会了，那是因为他们在妈妈肚子里就已经很熟悉这些歌曲的缘故。

妈妈读书时间

向日葵

在胎教中，阅读是重要的一环。孕妈妈读些什么好呢？不如从认识植物开始吧！孕妈妈都希望自己的宝宝阳光、活泼而勇敢，就像胡安娜·伊瓦沃罗笔下的《向日葵》一样。

在我家，大家都感到奇怪：我们的花园那么小，决定只种奇花异草，我却开辟一个畦，种上了葵花子。他们不明白，在高雅的玫瑰、杜鹃花、三色堇、茉莉花中间，我怎么会让那种平常而又土气的植物存在呢？这是因为我太爱向日葵了。我和向日葵之间有一种相似之处，这就像一种亲缘关系，我们都渴望天空和阳光，这种渴望像一根绳儿一样把我们拴在一起。它那硕大的花冠始终需要阳光，总是面朝着天空，像恋人那么固执，像饿汉那么如饥似渴！而害怕黑暗的我，也经常亲身感受到对阳光的本能渴望。每当望着向日葵着魔似地随着太阳转，寻求着阳光，我就激动不已。所以，我爱它们：它们有着和我一样强烈需要生命、光亮和天空的愿望。

（胡安娜 · 伊瓦沃罗）

准爸爸的爱心行动

平时的家务，多分担一些；为了孕妈妈，戒除烟酒；提醒孕妈妈每日要服用叶酸；陪孕妈妈一起吃对身体有好处的食品；在孕妈妈因为孕期不适而感到难受时，给她做做按摩……

除了每天的聊天交流，在你休息的日子里，和孕妈妈一起去散散步，或者一起做她喜欢的事情，最重要的是多多陪在她身边，因为处在孕期的女性，很多时候会有情绪的波动和莫名的担忧。给孕妈妈讲笑话，了解她的需要，就会让她觉得很安心。

慧养心灵的冥想操

冥想可以放松身心，排解压力。如果孕妈妈在孕期遭遇来自情绪方面的困扰，不妨试下用冥想操去化解。

1 仰卧在床上，微闭双眼，暗示自己全身放松。

头颈、胸腹、四肢，全身每一处都要放松。排除大脑中的杂念。

2 对自己轻轻地说：“我内心非常宁静舒适——沐浴着温暖的阳光和清新的空气——我感到非常舒适惬意——我很快乐。”暗示时要发挥想象力，想着自己所说的一切。

3 继续暗示自己：“我听到了远处有孩子在‘咯咯’地欢笑，我也情不自禁地笑起来了——今天是很美好的一天。”

4 全身放松，并仔细体会、感受自己内心的愉悦。

然后慢慢睁开双眼，起身下床，保持微笑去干别的事情。

胎教营养餐：西蓝花烧双菇

原料：

西蓝花 100 克，白蘑菇 5 朵，香菇 5 朵，胡萝卜半根，盐、蚝油、水淀粉、原味鸡汁各适量。

做法：

1. 西蓝花切成小朵，白蘑菇、香菇切片，胡萝卜切丁，待用。

2. 锅内放适量蚝油和原味鸡汁，下入全部原料，用小火煨5分钟，用盐调味后，再用水淀粉勾薄芡，即成。

营养提示：西蓝花含有丰富的类黄酮，它是很好的血管清理剂，可以增强肝脏的解毒功能。

第4周 受精卵“安营扎寨”了

报告妈妈：受精卵经过不断的细胞分裂，变成一个球形细胞团（这时的受精卵就叫胚泡），游进了妈妈的子宫腔，胚泡与子宫内膜接触并埋于子宫内膜里，开始着床了。再过几天，我的神经管就要开始形成了，现在我只有约4毫米长。

对话胎宝宝：你好吗

我一直等待的宝宝，你好吗？你终于来了，那么悄无声息地，那么小，同时又那么神奇而迅速地成长着，无声地开始你在这个世界上的着陆。加油，我的宝宝！妈妈会给你提供所需要的一切，你就放心地成长吧！

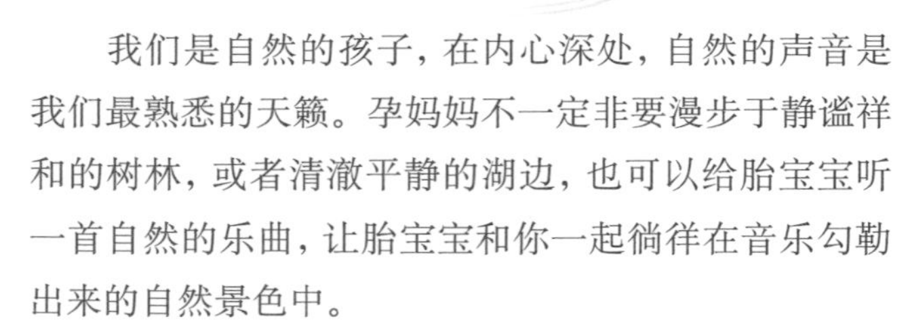

听一首自然的乐曲

我们是自然的孩子，在内心深处，自然的声音是我们最熟悉的天籁。孕妈妈不一定非要漫步于静谧祥和的树林，或者清澈平静的湖边，也可以给胎宝宝听一首自然的乐曲，让胎宝宝和你一起徜徉在音乐勾勒出来的自然景色中。

在天气好的时候，孕妈妈可以到公园里散步，听小鸟儿欢唱，听流水叮咚，听昆虫的鸣叫，听微风拂过树梢的声音，这一切，都会让宝宝感觉新奇而有趣，宁静而满足。因为这是最自然的乐曲了，和你的宝宝，一起享受这一切吧！

斯瑟蒂克的提示

孕妈妈可以听听班得瑞的作品。像《春枝绿叶》《微风吹拂的方式》《风的呢喃》《静静的雪》以及《印度夏天的雨》，都是可以帮助孕妈妈静心的自然清新之乐。

妈妈读书时间

葡萄架

宝宝，妈妈今天带你认识美丽的葡萄。它们长在葡萄架上，不过在夏天的时候，人们只能看到茂密的葡萄叶子，你听听，胡安娜·伊瓦沃罗的《葡萄架》描写得多美啊！——

夏天，葡萄架的阴影多么美丽！它那碧绿的色调跟水一样，使人想起河水的怀抱。它是那么茂密，只是有时候，当一阵风把叶子分开，才让一枚颤动的阳光金币落在地面上。在我父亲家的老葡萄架下，躺在摇椅上午睡，我是多么的愉快！

那时我还不会作诗，但是诗歌已经像一只不安静的蝴蝶，在我的心里扑扇翅膀，我眯缝着眼睛，似睡非睡，梦见了最荒唐、最甜蜜的事情。唉，尽管如今我也有了一幢房子和由大葡萄架罩着的院子，但是我再也不能像那时那样做梦了。

（胡安娜·伊瓦沃罗）

胎教故事袋：小白兔和小灰兔

小兔子爱吃菜，怎么才能有吃不完的菜呢？孕妈妈和胎宝宝一起去看看吧！

老山羊在地里收白菜，小白兔和小灰兔来帮忙。

收完白菜，老山羊把自己种的白菜送给它们。

小灰兔收下白菜，说："谢谢您！"

小白兔不要白菜，说："您送我一些菜子吧。"

老山羊送给小白兔一包菜子。

小白兔回到家里，把地翻松了，种上菜子。

过了几天，白菜长出来了。

小白兔常常给白菜浇水，施肥，拔草，捉虫。

白菜很快地长大了。

而小灰兔把老山羊送的白菜拿回家里，它天天不干活，饿了就吃老山羊送的白菜。

过了些日子，白菜就吃完了。

小灰兔没吃的了，又到老山羊家里去要白菜。

它看见小白兔挑着一担白菜，给老山羊送来。

小灰兔很奇怪，问道："小白兔，你的菜是哪儿来的？"

小白兔说："自己种的。只有自己种，才有吃不完的菜。"

准爸爸配合"子宫对话"

虽然很多知识都由孕妈妈讲给胎宝宝听，不过孕妈妈也有不熟悉的领域，这个时候，准爸爸就要上阵啦！

晚饭后的1~1.5个小时，是准爸爸开始胎教的时间，可以讲当天的工作，也可以讲爸爸的兴趣爱好，或者根据你们拟定的知识范围进行讲解。有了准爸爸的参与，胎教效果更显著！

斯瑟蒂克的提示

准爸爸的话题越是能唤起孕妈妈的好奇心，胎教的效果就会越好。

胎教营养餐：板栗烧仔鸡

原料：

板栗10颗，仔鸡1只，生蒜几瓣，高汤、酱油、盐各适量。

做法：

1. 将板栗用刀开一小口，大火煮10分钟，捞出过凉水，剥去外壳。

2. 仔鸡切块，放酱油、盐腌制10分钟。

3. 锅中加高汤、酱油、板栗、鸡块、盐焖烧至板栗熟烂，再调至大火，加入蒜瓣，继续焖5分钟即可。

营养提示：板栗可以提供给孕妈妈较多的热能，有效缓解孕期疲劳，这样孕妈妈才更有精力进行胎教。

第5周 你就像“小海马”一样

报告妈妈：此时的我，由胚泡升级为胚胎，细胞分化更加剧烈，形成“三胚层”，每一层细胞都将形成身体的不同器官。神经系统和循环系统的基础组织最先开始分化，此时，我只有苹果子那么大，外观很像“小海马”，长度还不到10毫米，重量不到1克。

对话胎宝宝：我为你而骄傲

虽然这个时候，妈妈开始有了比较明显的早孕反应，有时候会感到嗜睡、倦怠甚至恶心等不适，但是妈妈还是好高兴，因为妈妈知道这是你在提醒妈妈的身体免疫系统接受你，让妈妈的身体为孕育你而做好准备。

一想到我的身体里有个小生命在成长，我就感觉拥有了全世界，我的宝宝，你就可着劲儿长吧！

胎宝宝喜欢妈妈唱的歌

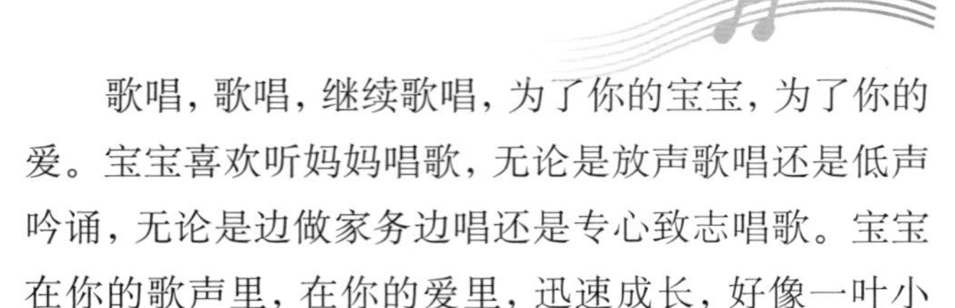

歌唱，歌唱，继续歌唱，为了你的宝宝，为了你的爱。宝宝喜欢听妈妈唱歌，无论是放声歌唱还是低声吟诵，无论是边做家务边唱还是专心致志唱歌。宝宝在你的歌声里，在你的爱里，迅速成长，好像一叶小舟，乘着母亲宽广的爱汇成的海洋，平稳前行。

斯瑟蒂克的提示

只要有时间，就见缝插针地创造机会，哼唱一些歌曲，向你肚子里的胎宝宝传递“爱的信息”。

妈妈读书时间

开始

从什么时候开始，我的宝宝，你来到了我的生命中。正是因为你的到来，使我的生命有了新的意义。

“我是从哪儿来的，你，在哪儿把我捡起来的？”孩子问他的妈妈说。

她把孩子紧紧地搂在胸前，含泪微笑着答道——

“你曾被我当做心愿藏在心里，我的宝贝。”

“你曾存在于我孩童时代玩的泥娃娃身上。每天早晨我用泥土塑造我的神像，那时我反复地塑了又捏碎了的就是你。”

“你曾活在我所有的希望和爱情里，活在我的生命里，我母亲的生命里。”

“当我做女孩子的时候，我的心的花瓣儿张开，你就像一股花香散发出来。”

“你的软软的温柔，在我的青春的肢体上开花了，像太阳出来之前的，天空上的一片曙光。”

“上天的第一宠儿，晨曦的孪生兄弟，你从世界的生命的溪流浮泛而下，终于停泊在我的心头。”

“当我凝视你的脸蛋儿的时候，神秘之感淹没了我，你这属于一切人的，竟成了我的。”

“为了怕失掉你，我把你紧紧地搂在胸前。是什么魔术把这世界的宝贝引到我的手臂里来呢？”

（泰戈尔）

欣赏名画：母与子

从知道有个小生命在腹中孕育那刻起，所有的孕妈妈都渴望早日享受哺育的幸福。

雷诺阿1886年的名作《母与子》，描绘了丰满娇媚的年轻母亲怀抱娇儿的温馨情景。

胖乎乎的婴儿酣畅地吸吮着母亲的乳汁，小脚丫悠然自得地摇晃着，年轻的乳母脸上自然流露的骄傲和安逸，深深地打动了看到这幅画作的每一个人。孕妈妈是不是也感觉特别安详和惬意呢？

走，到户外去

户外散步不但有利于孕妈妈的身心健康，也方便胎宝宝通过妈妈的眼睛去认识这个世界。胎宝宝通过妈妈的身体去感知世界上美妙的一切，可以预先掌握生活中的智慧和一般常识，同时这也是母子共同体验的一种方式。

宝宝还在妈妈的肚子里的时候，通过妈妈的眼睛和手，认识到什么是树木，什么是小草，什么是天空中飞过的小鸟，什么是路旁行驶过的自行车……孕妈妈把看到的、听到的一一讲给胎宝宝听，这对胎宝宝的大脑发育有很好的促进作用！

和准爸爸分享喜悦

这一周，很多孕妈妈从自己月经的变化中已经知道了胎宝宝的来临。当从医生那里证实后，孕妈妈就和准爸爸一同庆贺吧！记得在胎教日志中记下这难忘的一刻，因为从今天开始，你们生命中所有东西都有了神奇的颜色。

从现在开始，记住你们的约定，无论什么时候都不要吵架，商量一种快速有效解决冲突的方式，因为胎宝宝不喜欢你们不和，你们的孩子需要你们真心相爱。

胎教营养餐：银耳羹

原料：

银耳10克，莲子6克，樱桃10枚，枸杞子、冰糖、水淀粉、香油各适量。

做法：

1. 温水泡发银耳，与莲子、枸杞子同放锅中，加清水烧沸后熬30分钟。

2. 锅中加入冰糖熬化，对入水淀粉（注意水淀粉要稀一些，火关小，边加边搅拌，以免淀粉结块）熬片刻。

3. 小碗洗净擦干，抹上香油，放入切成片的红樱桃（或其他水果），倒入熬好的银耳汤，放凉后食用。

营养提示：银耳羹可以减轻妊娠反应带给孕妈妈的不适，补充胎宝宝发育所需要的营养素。

第6周 心脏开始跳动喽

报告妈妈：我在妈妈的子宫里迅速地成长，神经管开始连接大脑和脊髓，人体的各种器官均已出现，心脏也已经开始跳动了，胚胎的长度有10毫米，像一颗小松子仁，还有了模糊的四肢！医生把此时的我称为“胎芽”。

对话胎宝宝：早上好，宝贝

每天早晨当我醒来时，第一件事就是想到你，我亲爱的宝宝，昨天晚上，你睡得好吗？你是不是又长大了一点？想到离我们见面又近了一天，妈妈的心里感觉好甜蜜！

我的宝宝，你真了不起！虽然有时候会有小小的不适，但是一想到我的身体里还有一个你，妈妈就不觉得那么难受了，我们一起加油！

妈妈唱儿歌：小燕子

再熟悉不过的《小燕子》，想必胎宝宝也会喜欢呢！现在就用快乐的歌声唱给胎宝宝听吧！

小燕子，穿花衣
年年春天来这里
我问燕子你为啥来
燕子说：“这里的春天最美丽”
小燕子，告诉你
今年这里更美丽
我们盖起了大工厂
装上了新机器
欢迎你
长期住在这里

妈妈读书时间

孩童之道

读了这首诗，你会感谢泰戈尔，孩子自有孩子的道理，可爱又淘气。

只要孩子愿意，他此刻便可飞上天去。

他所以不离开我们，并不是没有缘故。

他爱把他的头倚在妈妈的胸间，他即使是一刻不见她，也是不行的。

孩子知道各式各样的聪明话，虽然世间的人很少懂得这些话的意义。

他所以不想说，并不是没有缘故。

他所要做的一件事，就是要学习从妈妈的嘴唇里说出来的话。那就是他所以看来这样天真的缘故。

孩子有成堆的黄金与珠子，但他到这个世界上来，却像一个乞丐。

他所以这样假装了来，并不是没有缘故。

这个可爱的小小的裸着身体的乞丐，所以假装着完全无助的样子，便是想要乞求妈妈的爱的财富。

孩子在纤小的新月的世界里，是一切束缚都没有的。

他所以放弃了他的自由，并不是没有缘故。

他知道有无穷的快乐藏在妈妈的心的小小一隅里，被妈妈亲爱的手臂所拥抱，其甜美远胜过自由。

孩子永不知道如何哭泣。他所住的是完全的乐土。

他所以要流泪，并不是没有缘故。

虽然他用了可爱的脸儿上的微笑，引逗得他妈妈的热切的心向着他，然而他的因为细故而发的小小的哭声，却编成了怜与爱的双重约束的带子。

（泰戈尔）

很多小故事都很有意义，今天的这则故事，在宝宝出生之后一样适合讲给宝宝听。

老婆婆家的门前种了一棵枣树，树上结满了又红又大的枣子。一天老婆婆进城去了。忽然一阵大风把枣子都吹落到了地上，接着又下起了很大的雨。

傍晚雨停了。一只小刺猬看到了满地的枣子，非常高兴，它就地打了个滚儿，把枣子全都挂在了自己的身上。它想，要是把这些枣子带回家去，那就够自己吃好几天的了。

这一切刚好被小麻雀和小燕子看见了，它们问小刺猬："枣树是老婆婆辛辛苦苦栽的，你怎么能把枣子拿走呢？"小刺猬听完之后，感觉很不好意思，所以又把枣子送了回去。为了避免枣子被雨水冲走，三个小家伙准备帮老婆婆把枣子运到屋里。但是老婆婆将房门锁上了，怎么样才能把枣子运到屋里呢？三个小家伙想了好久，最后，还是小燕子比较聪明，它把窗纸啄了个洞，这样就可以将枣子从洞里扔进屋里了。

于是，小刺猬就来来回回地运，小麻雀和小燕子从窗洞往里丢，一直到月亮升起来，它们才把枣子运完。

晚上，老婆婆回来了，发现树上的枣子没有了，心里非常难过。可当她推开屋门，看见满地的枣子时，又高兴地笑了。

斯瑟蒂克的提示

孕妈妈讲这个故事的时候，如果能将手头有的儿童画册利用起来，找到诸如小刺猬、枣树、小燕子之类的形象，对照图片进行讲述，效果更好。

现在的运动慢半拍

孕期适度运动，对孕妈妈和胎宝宝都有裨益，需要注意的是，为了你和宝宝的健康，一定要把握住这个“度”。既要讲求运动量，也要讲求运动方法。

散步是最适合孕期的健身运动，不但能帮助消化，增强心肺功能，还能够调节身心。每次散步以不超过30分钟为宜，否则，你的宝宝是要抗议的！

准爸爸讲百科：花儿为什么会有香味

准爸爸可以讲自己的当天见闻，也可以结合孕妈妈的活动来讲，把生活常识深入浅出地讲给宝宝听，比如可以从孕妈妈当天的起居讲起——

宝宝，今天过得好吗？妈妈说今天带你出去散步了，路边的月季开花了，你闻到香味了吧？宝宝你知道那么好闻的香味是怎么来的吗？

花儿的香味是因为花瓣会不断分泌带有香味的芳香油，花开的时候，芳香油随着水分一起散发出来，宝宝就闻到花儿的香味啦！

各种花的香味不一样，各种花散发香味的时间也不一样，有的时候你会发现，同样一种花，不同时间段开花，香味也是不一样的！

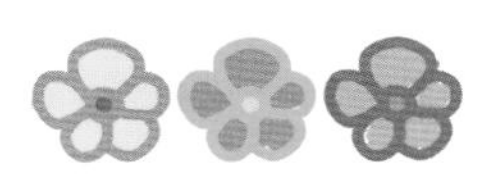

斯瑟蒂克的提示

准爸爸讲这些知识的时候，孕妈妈可以回忆白天见过的花朵，它们的颜色、形状和香味，或者看着家中的盆栽植物，把准爸爸讲的内容在脑海里浮现出来。

胎教营养餐：芝麻圆白菜

原料：

圆白菜1小颗，黑芝麻1把，植物油、盐各适量。

做法：

1. 用小火将黑芝麻不断翻炒，炒出香味时出锅。
2. 圆白菜洗净，切粗丝。
3. 起锅热油，放入圆白菜，翻炒几下，加盐调味，炒至圆白菜熟透发软即可出锅盛盘，再撒上黑芝麻拌匀。

营养提示：圆白菜含维生素C、维生素A较多，而且还富含叶酸，非常适合孕期食用。

第7周 小蚕豆一样的胎宝宝

报告妈妈：胚胎的细胞仍在快速地分裂，到本周末时，胚胎大小就像一粒蚕豆，有一个特别大的头，在眼睛的位置会有两个黑黑的小点，鼻孔、腭部、耳部开始变得明显。我的手臂和腿开始伸出嫩芽，手指也从现在开始发育，心脏开始划分出心房和心室，每分钟的心跳可达150次，脑垂体也开始发育。

对话胎宝宝：我很幸福

在没有你之前，我的生命只是一个半圆，在怀上你之后，我的生命就逐渐由半圆向一个整圆进发，每一天，属于我的那个圆就更圆一点，感谢你，我的宝贝，你让妈妈成为世界上最幸福的人。

来一曲轻音乐吧

选择一个你喜欢的电台广播，或是放一张喜爱的光盘，和你的宝宝在轻柔的乐曲中翩翩起舞。此刻你的世界在你腹中，别无所求。

斯瑟蒂克的提示

胎教的关键是母亲的情绪和态度。只要能使孕妈妈心里充满幸福和甜蜜的歌曲或乐曲，都可以成为胎教的内容。

妈妈读书时间

我有一只春鸟

孕妈妈可以选择比较简短的诗，和胎宝宝一起感受诗歌营造的优美意境。

我有一只春鸟
它为我一个人歌唱——
并把春天引来。
当夏天靠近——
当玫瑰出现，
这知更鸟就消失无踪。
但我并不抱怨
知道我的鸟
虽然飞走——
却会在海的那边
为我学习新的曲调
……

（艾米莉·迪金森）

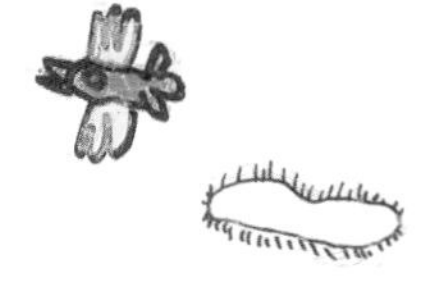

欣赏名画：摇篮

今天，翻到此页，和你一起分享一下一名母亲的画作。现在，你的希望在你的腹中，从某种意义上说，你也是他的摇篮。

《摇篮》，是印象派女画家贝尔特 · 莫里索1872年的画作。

画中年轻的母亲坐在摇篮旁，一手托着脸庞，另一手轻轻搭在篮边，深情地凝视着摇篮里即将入睡的小婴儿。

母亲温柔而专注的神情让整幅画充满温情。看了这样一幅画，你是不是也能感受到即将成为母亲的幸福和喜悦呢？

慢跑也可以

有慢跑习惯的孕妈妈，可以在怀孕之后保持这种健身方式，每天坚持慢跑20分钟，因为你的身体已经适应了这种运动方式。不过要记得向医生汇报你的运动情况，并且接受医生的建议。之前没有慢跑习惯的孕妈妈可以选择其他的缓和运动来锻炼身体，同样可以取得健身效果。

准爸爸的“美丽疑妻症”

怀上宝宝之后，孕妈妈发现准爸爸变得婆婆妈妈起来，每天重复问N个问题：

今天有没有吃叶酸？

感觉凉不凉？

柜子上面的被子等我回来再拿，你千万别自己乱动……

准爸爸“疑妻”有理，孕妈妈就安心享受这细心的呵护吧！

斯瑟蒂克的提示

妊娠初期，如果外界给予大的不良刺激，那么就会对胎宝宝脑、手脚的顺利发育带来障碍。孕妈妈和准爸爸要以胎宝宝为中心，竭力避免任何对胎宝宝不利的生活方式。

胎教营养餐：燕麦南瓜粥

原料：

燕麦30克，大米50克，小南瓜1个，葱花、盐各适量。

做法：

1. 南瓜洗净，削皮，切成小块；大米洗净，用水浸泡片刻。

2. 将大米放入锅中，加水500毫升，大火煮沸后换小火煮20分钟。

3. 放入南瓜块，小火煮10分钟，再加入燕麦，继续用小火煮10分钟。

4. 熄火后加入盐、葱花调味即可。

营养提示：燕麦含有丰富的锌、维生素B_1、氨基酸、维生素E等，还能刺激食欲，特别适合孕吐期食用。

第8周 熟睡的"小动物"

报告妈妈：胚胎的心脏和大脑已经发育得非常复杂，眼睑开始出现褶痕，鼻子部位也开始倾斜，胳膊肘变得弯曲，心脏的上方也有少量的弯曲，外观上蜷缩成一团，很像一只熟睡的小动物。凭借蹼状的手脚，我开始在羊水中游泳了。

对话胎宝宝：上班去喽

从意识到怀上你开始，母亲的本能在我体内被急剧放大，我时刻意识到我不再是一个人，我喜欢说"我们"，我们一起吃饭，一起睡觉，一起散步，一起购物。工作日的早上，我会轻轻和你说："宝宝，我们上班去喽！"

妈妈唱儿歌：拔萝卜

虽然时代在改变，可是好听的儿歌依然经久不衰。这又是一首让人心情欢快的歌曲。

拔萝卜，拔萝卜，
哎哟哟哎哟哟，
哎哟哎哟拔不动，
哎哟哎哟拔不动，
老婆婆快快来，
快来帮我拔萝卜，
（老婆婆："来哟！"）

斯瑟蒂克的提示

这首儿歌里的"老婆婆"还可以换成小弟弟、小花猫、小老鼠等，唱歌的时候孕妈妈脑海里要有相应的故事内容，如果能模仿每个人物的声音特点就更好啦！唱完这首歌后还可以把《拔萝卜》的故事内容讲给胎宝宝听。

妈妈读书时间

吉檀迦利

我们为一首诗而感动，因为在诗中看到了自己。

1

你已经使我永生，这样做是你的欢乐。这脆薄的杯儿，你不断地把它倒空，又不断地以新生命来充满。

这小小的苇笛，你携带着它逾山越谷，从笛管里吹出永新的音乐。

在你双手的不朽地按抚下，我的小小的心，消融在无边快乐之中，发出不可言说的词调。

你的无穷的赐予只倾入我小小的手里。时代过去了，你还在倾注，而我的手里还有余量待充满。

2

当你命令我歌唱的时候，我的心似乎要因着骄傲而炸裂，我仰望着你的脸，眼泪涌上我的眶里。

我生命中一切的凝涩与矛盾融化成一片甜柔的谐音——我的赞颂像一只欢乐的鸟，振翼飞越海洋。

我知道你欢喜我的歌唱。我知道只因为我是个歌者，才能走到你的面前。

我用我的歌曲的远伸的翅梢，触到了你的双脚，那是我从来不敢想望触到的。

在歌唱中的陶醉，我忘了自己，你本是我的主人，我却称你为宝贝。

（泰戈尔）

准爸爸讲百科：花为什么会枯萎

准爸爸给胎宝宝讲解百科知识的时候，可以做一个系列的模式，上次讲到花儿的香味，这次可以讲花儿开放之后的事情，循序渐进，让胎宝宝逐步掌握生活中的常识。

宝宝，今天妈妈又带你出去散步了吧？宝宝有没有注意到昨天开的花儿，今天有些已经枯萎了，这是为什么呢？

那是因为植物开花是为了传播花粉，为了结出种子，当花儿绽放的一瞬间，就有花粉离开了花朵，传播到空气中去。

为了使花粉传播得更广泛，花儿们用艳丽的颜色或者好闻的香味儿吸引蜜蜂啊、蝴蝶啊来帮助自己授粉，当花儿开放之后，它们授粉的任务也就完成了，不久之后，我们就可以看到有的植物已经结出种子了。宝宝吃到的红枣，就是枣花开放的结果，里面的枣核，就是枣树的种子。

斯瑟蒂克的提示

作为前期课程，对话胎宝宝的关键不是传递知识，而是让胎宝宝熟悉准爸爸的声音，从而产生一种安全感。

胎教营养餐：五仁粳米粥

原料：

芝麻、碎核桃仁、碎杏仁、碎花生仁、瓜子仁各10克，粳米100克。

做法：

粳米煮成稀粥，加芝麻、碎核桃仁、碎杏仁、碎花生仁、瓜子仁即可。

营养提示：五仁粳米粥，能补充因为恶心、呕吐所失去的水分，而且还能有效缓解孕吐。

第9周 小尾巴不见了

报告妈妈：我身上所有的器官、肌肉、神经都开始工作，并且发育迅速。手腕处变得稍微有些弯曲，双脚开始摆脱蹼状的外表，眼帘开始覆盖住眼睛。胚胎已经成形，长约25毫米，原先长在我身上的小尾巴也消失不见了，我现在是真正意义上的“胎宝宝”了！这个时候的我，喜欢在羊水里欢乐地游泳。

对话胎宝宝：你是藏在这里吗

现在妈妈的肚子，已经比较明显了，我老是不自觉地抚摸它，就好像在抚摸你一样。我总是在想，宝宝，你在妈妈的肚子里过得好吗？好羡慕那些已经感觉到胎动的孕妈妈，什么时候你能在我的肚子里展开拳脚呢？

选一张自己喜欢的音乐 CD

在天气好的时候，不妨到音像店去，给宝宝和自己挑选一张新CD，此时的选择，既是你的选择，也是宝宝的选择。可能你会忽然迷恋上以前不怎么喜欢的古典音乐！别奇怪，因为你身体里还有一个人呢！

斯瑟蒂克的提示

在选择歌曲、乐曲时，首先考虑的是它会对胎宝宝产生什么样的影响，柔和优美的曲子不仅能对胎宝宝进行情操方面的教育，还能提高学习效率。

妈妈读书时间

亲爱的三月，请进

人间最美是三月，因为初春开始万象更新。胎宝宝就是你的三月，会带给你无尽的喜悦。

亲爱的三月，请进！
我是多么高兴，
一直期待着你的光临，
请摘下你的帽子。
你一定是走来的吧？
看你累得上气不接下气的。
亲爱的，别来无恙？
你来的时候，大自然可好？
哦，快跟我上楼，
我有很多话要问你。
你的信我已收到，而小鸟和枫树，却不知你已在途中，
直到我告诉他们，他们的脸涨得多红啊！
可是，请原谅，你留下，
帮我在那些山山岭岭上涂抹色彩！

（艾米莉·狄金森）

做点简单家务

简单的家务可以活动身体，调整身心。在做家务的时候，告诉胎宝宝，妈妈正在叠衣服，这是爸爸的衣服，这是妈妈的衣服，爸爸喜欢深颜色的衣服，妈妈喜欢在夏天的时候穿裙子；擦桌子的时候，告诉胎宝宝，屋子的那个角落是专门为放你的小床而准备的……

孕妈妈也可以边哼歌曲边做家务，或者边听音乐边做家务，以不觉得劳累为宜。

报告，爸爸回来了

经过前一段时间的熟悉，在妈妈肚子里的胎宝宝对爸爸的声音不再陌生了，胎宝宝逐渐适应爸爸每天晚上的“子宫对话”，在胎宝宝和爸爸之间，建立起一条信任和依恋的感情纽带。不过，准爸爸还是要记得每天离家和回家时跟胎宝宝打招呼哦！

除了在单位、路上见到的、心里想的，准爸爸还可以分担一些孕妈妈的课程，同样的儿童画册或者故事，爸爸讲和妈妈讲的方式不一样，胎宝宝的收获也不一样，有时候，准爸爸的讲解还能引起孕妈妈的新鲜感，其乐融融。

斯瑟蒂克的提示

准爸爸对胎宝宝进行胎教，“子宫对话”开始和结束的时候，记得用抚慰的语言和促使胎宝宝形成自我意识的语言。最重要的是要把胎宝宝当成完整的人来对待。

胎教营养餐：奶酪烤鸡翅

原料：

黄油50克，奶酪50克，鸡翅6个，盐少许。

做法：

1. 鸡翅洗净后将鸡翅中间用刀划开，用盐腌制2小时。

2. 将半块黄油放入锅中融化，待油温升高后放入鸡翅，平铺在锅中。

3. 用小火将鸡翅正反面煎至色泽金黄，然后将奶酪擦碎末，均匀撒在鸡翅上。

4. 查看鸡翅中被切开处颜色是否变化，确认煎熟后起锅装盘。

营养提示：奶酪是很好的补钙食品，还含有丰富的维生素A，能增强孕妈妈的抵抗力，保护眼睛、健美肌肤。

第10周 已经像个小人儿了

报告妈妈：我已经很像个小人儿了，身长大约有40毫米，体重达到10克左右。我已经做好了生长发育的准备，不久就会迅速地长大。基本的细胞结构已经形成，身体所有的部分都已经初具规模，但是胳膊、腿、眼睛、生殖器以及其他器官还处于发育阶段，都还没有发育成熟。

对话胎宝宝：知道我在做什么吗

今天，爸爸把字典放到妈妈面前，让妈妈即兴点字。呵呵，宝宝，你猜我在干嘛呢？这是爸爸让我给你取名字呢！

在还没有你的时候，我们就讨论过你的名字。有了你之后，你爸爸和我更是为你的取名绞尽了脑汁，比如今天这字典取名法，又是他想出来的新招。

现在连我都不知道你该叫啥名了，因为给你取的名字太多了，这可是咱家的一件大事！

斯瑟蒂克胎教音乐：献给爱丽丝

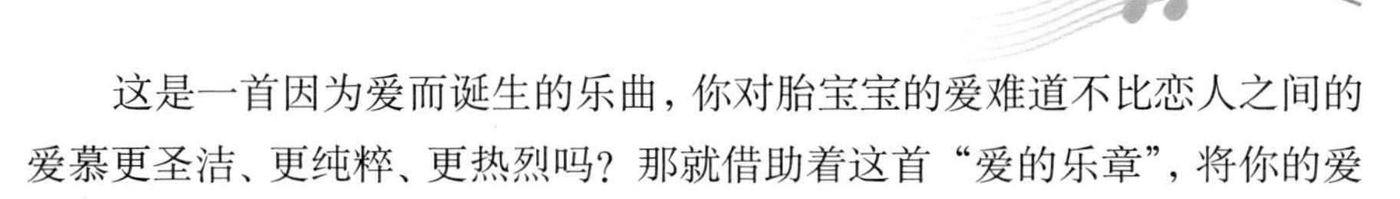

这是一首因为爱而诞生的乐曲，你对胎宝宝的爱难道不比恋人之间的爱慕更圣洁、更纯粹、更热烈吗？那就借助着这首“爱的乐章”，将你的爱传递给胎宝宝吧！

这首《献给爱丽丝》是贝多芬中年时期，特意为他所爱慕的女孩儿创作的。

整首曲子都洋溢着一种明朗、欢乐的情绪，同时又夹杂了一丝孩子气的烦恼。感觉就像是在向自己爱慕的人倾诉衷肠。

斯瑟蒂克的提示

孕妈妈在听这首曲子时，可以在脑海中想象音乐所传达出来的美好形象，想象着一个美丽、单纯、活泼的少女，甜蜜、略带羞涩地倾听着美妙的乐章，眼神中透露出对弹奏者的仰慕、崇敬以及对美好爱情的憧憬之情。

妈妈读书时间

我的歌

为孩子唱一首充满爱意的歌，这对你还有你的宝宝来说，都将会是一件特别幸福的事。

我的孩子，我这一支歌将扬起它的乐声围绕你的身旁，好像那爱情的热恋的手臂一样。

我这一支歌将触着你的前额，好像那祝福的接吻一样。

当你只是一个人的时候，它将坐在你的身旁，在你耳边微语着；当你在人群中的时候，它将围住你，使你超然物外。

我的歌将成为你的梦的翼翅，它将把你的心移送到不可知的岸边。

当黑夜覆盖在你路上的时候，它又将成为那照临在你头上的忠实的星光。

我的歌又将坐在你眼睛的瞳仁里，将你的视线带入万物的心里。

当我老去时，我的歌仍将在我活泼泼的心中唱着。

（泰戈尔）

天气这么冷，雪这么大，地里、山上都盖满了雪。

小白兔跑出门去找东西吃。

小白兔找呀找，找到了两根萝卜。

小白兔吃掉一根，留下一根 。它想："天气这么冷，雪这么大，我把这根萝卜送去给小猴吃吧。"

小白兔跑到小猴家里，小猴不在家。小白兔把萝卜留在小猴家里。

原来小猴出去找东西吃了。小猴找到了几颗花生，快快活活地回家来。

小猴走进屋子，看见萝卜，很奇怪，说："这是从哪里来的萝卜呀？"

小猴吃完了花生，它想："天气这么冷，雪这么大，我把这根萝卜送去给小鹿吃吧。"

小猴跑到小鹿家里，小鹿不在家。小猴把萝卜留在小鹿家里。

原来小鹿出去找东西吃了。小鹿找到了一棵青菜，快快活活地回家来。

小鹿走进屋子，看见萝卜，很奇怪，说："这是从哪里来的萝卜呀？"

小鹿吃完了青菜，它想："天气这么冷，雪这么大，我把这根萝卜送去给小熊吃吧。"

小鹿跑到小熊家里，小熊不在家。小鹿把萝卜留在小熊家里。

原来小熊也出去找东西吃了。小熊找到了一块红薯，快快活活地回家来。

小熊走进屋子，看见萝卜，很奇怪，说："这是从哪里来的萝卜呀？"

小熊吃完了红薯，它想："天气这么冷，雪这么大，我把这根萝卜送去给小白兔吃吧。"

小熊跑到小白兔家里，小白兔吃饱了，睡得正甜哩。小熊不愿叫醒小白兔，就把萝卜留在那里。

小白兔醒来，睁开眼睛一看："咦！萝卜回来了。"它想了一想，说："这是好朋友送来给我吃的。"

斯瑟蒂克的提示

妈妈要充满感情、绘声绘色地用"画"的语言讲这个故事，并在脑海中勾勒出小动物们的形象和表情。如果手头有认物卡片，最好能一边看着卡片，指着小白兔、萝卜，小猴、花生，小鹿、青菜，小熊、红薯，一边给宝宝讲故事。

同时，妈妈还要将这些形象印入大脑，传递给胎宝宝，让胎宝宝和你一起，陪着小动物们串门送礼物。

准爸爸讲百科：为什么会下雪

相信在我们小的时候，大家肯定都会非常奇怪，天上飘下来的那一片一片洁白冰凉的小东西是什么呢？为什么它叫做雪花，为什么天空会下雪呢？

你的胎宝宝将来也同样会问到这个问题的，这时候，就需要准爸爸出马了，赶紧解释解释吧！

雪花生长在一种既有冰晶又有过冷水滴的云体里，这种云称为冰水混合云。

在这种云体内，过冷水滴不断蒸发成水汽，水汽源源不断地涌向冰晶的表面，在那儿凝结落脚，使冰晶逐渐增大形成雪花。

雪花形成后便向下飘落，在飘落的过程中，碰上其他雪花时，常常粘附在一起，慢慢长大，遇到上升气流时，小雪花上升的速度比大雪花快，小雪花赶上大雪花发生粘连，就这样，几经反复，便逐渐成为直径达几厘米的像棉花又似鹅毛的雪团。

当空气中的上升气流再也托不住这些雪花时，它们便从云层中飘落下来，如果这时低层空气的温度在0℃以下，雪花降落到地面，这就是人们见到的皑皑白雪了。

斯瑟蒂克的提示

准爸爸要尽量用自己的语言来讲这些知识，而且在讲之前要告诉胎宝宝一声："宝宝，你想知道天空为什么要下雪吗，爸爸就来告诉你。"

同时孕妈妈一定要集中注意力听，而且尽量将准爸爸讲的内容，在大脑中形成一定的印象传递给胎宝宝，经过这种配合，胎教效果会更明显。

胎教营养餐：青菜鸡煲

原料：

鸡半只，青菜100克，香菇4朵，葱1根，姜、笋数片，蚝油、酱油、植物油、盐各适量。

做法：

1. 青菜洗净，用开水焯一下，切短段放入煲内。
2. 香菇洗净去蒂沥干水，切块，加盐、酱油腌10分钟。
3. 锅中放油爆香葱、姜，加入鸡、香菇及蚝油再爆炒片刻，下盐、笋片，翻炒至鸡熟，盛出放在青菜上，煲滚即可。

营养提示：青菜中丰富的叶酸可保护胎宝宝免受脊柱裂、脑积水、无脑等神经系统畸形之害。

第11周 动来动去

报告妈妈：这1周，我的身长已经达到45~63毫米，体重有14克左右。生长速度加快了，开始做吸吮、吞咽和踢腿的动作，维持生命的器官，如肝脏、肾、肠、大脑以及呼吸器官已开始工作。从这1周开始，我的骨骼细胞发育加快，妈妈记得要多吃补钙壮骨的食物，还要多晒太阳！

对话胎宝宝：问好歌

虽然现在还不能面对面和宝宝对话，但是不妨碍孕妈妈和宝宝互相问好。从《问好歌》开始，培养宝宝从小就懂礼貌。

宝宝好。
妈妈好。
每天早上问一声，
妈妈宝宝乐陶陶。

宝宝好。
爸爸好。
每天晚上问一声，
呼呼噜噜就睡着。

妈妈唱儿歌：两只老虎

这首儿歌几乎是无人不会、无人不晓的经典儿歌了，每一次唱都很开心，难道是因为怀了宝宝，获得了更多的童心？

两只老虎，
两只老虎，
跑得快，
跑得快，

一只没有眼睛，
一只没有尾巴，
真奇怪！
真奇怪！

斯瑟蒂克的提示

孕妈妈唱这首歌的时候，可以模仿老虎的样子做相应的动作，让胎宝宝感受到老虎笨笨的样子，体会到逗趣的心情。

妈妈读书时间

三月桃花水（节选）[①]

是什么声音，像一串小铃铛，轻轻地走过村边？

是什么光芒，像一匹明洁的丝绸，映照着蓝天？

啊，河流醒来了！三月桃花水，舞动着绚丽的朝霞，向前流淌。有一千朵樱花，点点洒上了河面；有一万个小酒窝，在水中回旋。

三月的桃花水，是春天的竖琴。

每一条波纹，都是一根轻柔的弦。那细白的浪花，敲打着有节奏的鼓点；那忽大忽小的水波声，应和着田野上拖拉机的鸣响；那纤细的低语，是在和刚刚从雪被里伸出头来的麦苗谈心；那急流的水浪声，是在催促着村民们开犁播种啊！

三月的桃花水，是春天的明镜。

它看见燕子飞过天空，翅膀上裹着白云；它看见垂柳披上了长发，如雾如烟；它看见一群姑娘来到河边，水底立刻浮起一片片花瓣；它看见村庄上空，很早很早，就升起了袅袅炊烟……

（刘湛秋）

欣赏名画：荷花蝴蝶

这幅《荷花蝴蝶》选自意大利人郎世宁的《花卉图》，其中的荷花娇艳欲滴，蝴蝶栩栩如生，清爽的感觉把人带到蝉鸣声声的夏日。

现在的胎宝宝，正在孕妈妈腹中茁壮成长，犹如四季中的夏季，虽然离收获的季节还有时日，但同样是必经阶段，孕妈妈和胎宝宝一起静心享受这一段美好时光吧！

准爸爸的“情书”

多数孕妈妈都害怕怀孕会导致身材走形，甚至会失去丈夫的关注，这个时候，作为丈夫，你要告诉她：怀孕之后，她依然是那么富有魅力，她仍然是你最重视的女人，你所做的一切都是出于对她的爱，因为爱她，所以愿意和她一起去抚育属于你们两人的宝宝……

如果你不擅长口头表达，那么就写出来，让她知道你是多么需要她，以前是，现在是，今后一样是，你对她的爱，一直都在。

斯瑟蒂克的提示

和谐的家庭是孕育优质宝宝的必要环境，胎宝宝对父母、对外界世界的信赖与安全感是产生创造力的源泉。

胎教营养餐：青柠煎鳕鱼

原料：

鳕鱼150克，青柠檬1个，蛋清、植物油、盐、淀粉各适量。

做法：

1. 鳕鱼洗净切块，加盐腌片刻，挤少许青柠檬汁涂抹其上。

2. 将备好的鳕鱼块抹上蛋清和淀粉。

3. 锅内放油烧热，放入鱼块煎至金黄，装盘后点缀柠檬片。

营养提示：鳕鱼属于深海鱼类，脂肪中的DHA含量相当高，有利于胎宝宝脑发育，加入适量的青柠檬汁，适合爱吃酸味的孕妈妈食用。

第12周 还不如我的手掌大

报告妈妈：这周结束的时候，我的身长大约有65毫米，仍不如你的手掌大，但是，我从牙胚到趾甲，身体的雏形已经发育完成。手指和脚趾已经完全分离，一部分骨骼开始变得坚硬，并出现关节雏形。

对话胎宝宝：你会像谁呢

不止一次，我对着你爸爸看了半天，然后又对着镜子看了半天，我希望你是个挑剔的宝宝，眉毛长得要像爸爸，眼睛长得要像妈妈，声音要像你姑姑，皮肤要像你小表姐……

最重要的是要比我们俩长得漂亮！哈哈，妈妈好贪心啊！

不管你长得像谁，只要你健健康康、平平安安地来到这个世界上，就是爸爸妈妈最大的心愿。

斯瑟蒂克胎教音乐：天鹅（圣桑）

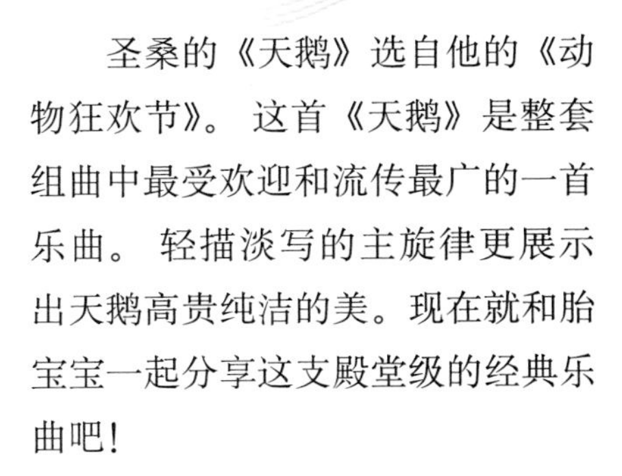

圣桑的《天鹅》选自他的《动物狂欢节》。这首《天鹅》是整套组曲中最受欢迎和流传最广的一首乐曲。轻描淡写的主旋律更展示出天鹅高贵纯洁的美。现在就和胎宝宝一起分享这支殿堂级的经典乐曲吧！

妈妈读书时间

仙人世界

在我们小的时候，总是无限向往神仙世界。曾经，童年梦里的仙境，你是否还记得？

如果人们知道了我的国王的宫殿在哪里，它就会消失在空气中的。

墙壁是白色的银，屋顶是耀眼的金。

皇后住在有七个庭院的宫苑里；她戴的一串珠宝，比得上整整七个王国的全部财富。

不过，让我悄悄地告诉你，妈妈，我的国王的宫殿究竟在哪里。

它就在我们阳台的角上，在那栽着杜尔茜花的花盆放着的地方。

公主躺在远远的隔着七个不可逾越的重洋的那一岸沉睡着。

除了我自己，世界上便没有人能够找到她。

她臂上有镯子，她耳上挂着珍珠，她的头发拖到地板上。

当我用我的魔杖点触她的时候，她就会醒过来，而当她微笑时，珠玉将会从她唇边落下来。

不过，让我在你的耳朵边悄悄地告诉你，妈妈，她就住在我们阳台的角上，在那栽着杜尔茜花的花盆放着的地方。

当你要到河里洗澡的时候，你走到屋顶的那座阳台来吧。

我就坐在墙的阴影所聚会的一个角落里。

我只让小猫儿跟我在一起，因为它知道那故事里的理发匠住的地方。

不过，让我在你的耳朵边悄悄地告诉你，那故事里的理发匠到底住在哪里。

他住的地方，就在阳台的角上，在那栽着杜尔茜花的花盆放着的地方。

（泰戈尔）

胎教故事袋：神奇的西瓜

不起眼的小事情，往往带来意想不到的收获。这究竟是怎样一个故事呢？带着你的胎宝宝，一起看一看吧！

一天早晨，小小牵着山羊来到了集市。

一位满头银发的老奶奶笑呵呵地来到小小的面前。

“可爱的孩子，你这只美丽的山羊是要卖掉吗？”

“是啊，老奶奶，我要卖掉它，好买一些粮食。”

老奶奶点点头，从小包裹里取出三粒黑亮亮的种子，摊在掌心上给小小看。

“老奶奶，这是什么啊？”

“哦，这是神奇的种子，是有魔法的，它里面藏着很多宝物呢！你想用这只山羊交换吗？”

小小摸了摸脑门，想了想，说：“好吧。”

小小小心翼翼地把那三粒种子放在衣袋里之后，就高高兴兴地回家了。

当妈妈看到小小用一只山羊居然只换来三颗黑乎乎的种子时，简直气疯了。

小小安慰妈妈说：“妈妈，别担心，老奶奶不会骗我的。我们把种子种下去，一定会有奇迹发生。”

种子种了下去，小小每天辛勤地给土壤里的种子们浇水、施肥。一天、两天、三天……种子好像没有一点儿变化。小小满怀希望地等待着，就这样，一个星期过去了。第八天，奇迹终于出现了！

“妈妈，快来看啊！”清晨，小小一来到院子里，就大声叫嚷，“种子发芽了！”

啊，那黑亮亮的种子真的发芽了！两片嫩嫩的绿色芽瓣面对面站着，风一吹，颤颤地就像在笑一样。

小小和妈妈心里真是说不出的高兴。从此，他们对出土的小芽苗照顾得愈发精心了。

小芽苗每天在阳光温暖的怀抱中，吸着甜甜的空气，吮着清凉的泉水。长啊长啊，叶子慢慢变成了叶梗；长啊长啊，叶梗变得像妈妈的手指一样粗。

嗬，终于，梗上开了花，花谢后结出了圆圆的果儿。

小小和妈妈每天坚持给它浇水，更加精心地照料它。转眼，小圆果已经长大了，大大的，圆圆的，十分诱人。

“啊，妈妈你看，那不是甜甜的大西瓜吗！”

看着一个个大西瓜，妈妈抱着小小开心地笑了。原来，老奶奶说的宝物就是这些又大又甜、多得数不尽的大西瓜！

斯瑟蒂克的提示

孕妈妈在给胎宝宝讲这个故事的时候，配合情节的变化，有感情地进行朗读。

比如小小的妈妈看到一只山羊换回的三颗种子的时候、小小安慰妈妈的时候、看到种子发芽的时候、收获果实的时候，要不断地变换语气，让胎宝宝感受到人物的心情和情节的转变。故事也可以配合在孕妈妈吃西瓜之后讲述，帮助胎宝宝获得“西瓜”的感性认识。

准爸爸讲百科：植物的种子

宝宝，上次说到植物的花儿开放之后，就会结子。那植物的种子有什么用呢？

我们平时看到的花花草草，还有各种各样的树木，都是植物的种子变来的。

种子落在土里，有适宜的阳光、水分、氧气等一些自然条件，就会发芽长大，长成我们看到的花呀、树呀、草呀什么的，这样，种子就延续了某一生物种类在地球上的存在。

宝宝你知道吗？有的种子还可以吃呢！比如花生啊，瓜子啊，板栗啊，我们吃的都是它们的种子，是不是很有意思呢？

一起去逛逛吧

今天又是个晴朗的好天气！既然这么适合逛街，那么就和准爸爸到街上走走吧！放松一下心情，顺便给胎宝宝买点东西。看到什么好看的、好玩的，别忘记讲给胎宝宝听啊！因为胎宝宝也跟着你们一起“逛街”呢！

街面上流动的车辆，路边盛开的鲜花，琳琅满目的橱窗，还有推着婴儿车的爸爸妈妈，造型奇特的商店门面……都可以一一讲给胎宝宝听，尤其是为胎宝宝采购婴儿用品的时候，更要细致地说明。胎宝宝虽然在你的肚子里，可是看得仔细，听得分明！

斯瑟蒂克的提示

胎宝宝的知识来自于孕妈妈，孕妈妈有了丰富的生活体验，胎宝宝才能学到更多的东西。保持好奇心和探索欲，孩子出生以后的学习会更加容易，因为还在妈妈肚子里的时候，他们就对世界有了初步的印象。

胎教营养餐：孜然鱿鱼

原料：

鲜鱿鱼1只，彩椒1个，植物油、白醋、孜然、洋葱、姜各适量，蒜蓉、辣酱各少许。

做法：

1. 鲜鱿鱼洗净，特别是鱿鱼爪里的小颗粒部分，要一个一个地洗出来；彩椒洗净切成块，备用。
2. 鱿鱼切成大小合适的片，放入热水中焯一下，马上捞出。
3. 锅中放油，爆香洋葱、姜，放入鱿鱼翻炒，放白醋和孜然。
4. 放入蒜蓉、辣酱，煸炒几下出锅即可。

营养提示：鱿鱼含有丰富的蛋白质及钙、磷、铁、硒、钾、钠等丰富的矿物质元素，对胎宝宝骨骼发育和造血十分有益。

Part 2 孕中期（13~28周）

斯瑟蒂克告诉你——这是胎教的加强期

“当胎儿一会儿动动全身，一会儿像小鸟拍打翅膀一样活动手脚，仿佛用身体动作向你说话时，你一定要对此做出反应。我们认为随着这种母子纽带的日渐牢固，胎儿在智慧、情操方面的发育速度会呈几何级数增加。”

——实子·斯瑟蒂克

第13周 更像个漂亮娃娃

报告妈妈：我变漂亮了，眼睛突出在头的额部，两眼之间的距离在缩小，耳朵也已就位。我的身体在迅速成长，腹部与母体连接的脐带开始成形，可以进行营养与代谢废物的交换了。

对话胎宝宝：忍不住想要摸摸你

宝宝你知道吗？昨天晚上妈妈做了个梦，梦见把你抱在怀里，感觉好满足好甜蜜啊！虽然离咱们见面还有日子呢，但是你知道吗，很多时候，妈妈多想抱抱你、亲亲你啊！有的时候，妈妈都想让日子快点过去，这样我就能见到我的宝宝了！

宝宝，你也在想妈妈和爸爸，对么？

妈妈唱儿歌：一闪一闪亮晶晶

在晴朗的夜晚，配合夜空中的星星唱这首歌，是多么美妙的事情啊！

一闪一闪亮晶晶
满天都是小星星
挂在天空放光明
好像千万小眼睛
太阳慢慢向西沉
乌鸦回家一群群
星星张着小眼睛
闪闪烁烁到天明
一闪一闪亮晶晶
满天都是小星星

妈妈读书时间

你是人间的四月天

这是属于胎宝宝和你的第4个月。著名诗人林徽因，为其爱子创作的这首《你是人间的四月天》，写出了所有母亲对自己孩子的喜爱之情。

我说你是人间的四月天；
笑音点亮了四面风，轻灵
在春的光艳中交舞着变。

你是四月早天里的云烟，
黄昏吹着风的软，星子在
无意中闪，细雨点洒在花前。

那轻，那娉婷，你是，鲜妍
百花的冠冕你戴着，你是
天真，庄严，你是夜夜的月圆。

雪化后那片鹅黄，你像；新鲜
初放芽的绿，你是；柔嫩喜悦
水光浮动着你梦期待中白莲。

你是一树一树的花开，是燕
在梁间呢喃，——你是爱，是暖，
是希望，你是人间的四月天！

（林徽因）

充满童趣的儿童画

孩子眼里的世界是什么样子的？孩子眼里的美又是什么样子的？今天，让我们一起来欣赏一幅儿童画吧！

太阳从远山后面缓缓升起，红彤彤的，照射出万丈光芒。清澈的小河中，鱼儿和水草快乐地嬉戏；绿茵茵的草地，开满了五颜六色的花儿；漂亮的春姑娘，搭载着春风，悠然而来，她仿佛还在梦里，闭着眼睛，带着笑脸……

春姑娘在做着什么美梦呢？孕妈妈，发挥你的想象力，讲给胎宝宝听吧！

胎教营养餐：清炒蚕豆

原料：

鲜蚕豆300克，植物油、盐、碎葱各适量。

做法：

1. 将油烧至八成热，放一些碎葱，然后将蚕豆下锅，大火翻炒，使蚕豆充分受热。

2. 加水焖煮蚕豆，注意水量与蚕豆持平。

3. 当蚕豆表皮裂开后加盐即可，用盐量比炒其他蔬菜略多些。

营养提示：蚕豆中的钙能促进骨骼的生长发育，是孕中期妈妈增加营养的不错选择。

准爸爸按摩“甜蜜蜜”

怀孕以后，孕妈妈往往会出现肩背酸痛、小腿抽筋、手指刺痛等现象，这个时候准爸爸可以给孕妈妈做做按摩，既能减轻孕妈妈的痛楚，又能增进夫妻感情。

按摩的时候，可以借助橄榄油，一边放音乐一边和孕妈妈聊天，不一会儿，孕妈妈就会感觉舒服多了！

斯瑟蒂克的提示

准爸爸在进行按摩的时候，要注意：不要按摩脚底，不要使用精油按摩，手法要轻，以孕妈妈感觉舒适为宜。

和胎宝宝跳支舞

有没有想象过，当胎宝宝听到音乐的时候，会在你的肚子里翩翩起舞呢？此时的胎宝宝，被包围在羊水中，运动频繁，是个天生的水中芭蕾专家！

来点音乐，和你的胎宝宝一起跳支舞吧！轻轻地抚摸你的腹部，腹中的胎宝宝就会条件反射地蠕动，虽然你现在还感觉不到，但是胎宝宝还是喜欢你的爱抚的。来，亲爱的宝宝，我们来跳舞……

第14周 长出指纹了

报告妈妈：现在我不但长出来手指、脚趾了，还出现了指纹和头发了呢，我的软骨已经形成，骨骼正在迅速发育，身长75~100毫米，重28克左右 。

对话胎宝宝：我今天做什么了

今天，妈妈下班后去了一趟孕婴商店，还去了一趟超市。

妈妈买了几件孕妇裙，终于可以穿孕妇装了，妈妈好开心啊！将来你可以在照片上看到妈妈怀你的时候是什么样子。

家里的核桃快吃完了，妈妈要去超市买一点，妈妈还给宝宝买了新鲜的胡萝卜、黄瓜和芹菜，今天就给宝宝榨果汁喝！

看电影，听音乐：芭比娃娃系列

金发碧眼的芭比，在绚丽梦幻的故事中演绎现代女性特有的聪慧、坚强与果敢，成为美丽与智慧的化身。

和胎宝宝一起观看芭比的系列电影，体验想象力的神奇之旅吧！每一个故事都似曾相识，但是又有全新的演绎，看完之后可以给胎宝宝讲原来的故事，也可以参照这种故事模式，给胎宝宝编讲新的故事呢！

斯瑟蒂克的提示

在观看《芭比之长发公主》动画片后，给胎宝宝讲格林版的《长发公主》故事，讲故事的时候脑海里浮现相应的情节，让胎宝宝和你一起“看”。

芭比系列电影的音乐，平时可以播放来听，也可以边听边想其中的内容。

妈妈读书时间

小大人

这首诗将孩子渴望长大的心理表现得淋漓尽致。将来宝宝出生了，我们会不会对宝宝重复同样的话？

我人很小，因为我是一个小孩子，到了我像爸爸一样年纪时，便要变大了。

我的老师要是走来说道："时候晚了，把你的石板、你的书拿来。"

我便要告诉他道："你不知道我已经同爸爸一样大了么？我决不再学什么功课了。"

我的老师便将惊异地自言自语道："他读书不读书可以随便，因为他是大人了。"

我给自己穿了衣裳，走到人群拥挤的市场里去。

我的叔叔要是跑过来说道："你要迷路了，我的孩子，让我领着你吧。"

我便要回答道："你没有看见么，叔叔，我已经同爸爸一样大了？我决定要独自一个人到市场里去。"

叔叔便将自言自语道："是的，他随便到哪里去都可以，因为他是大人了。"

当我正拿钱给我保姆时，妈妈便要从浴室中出来，因为我是知道怎样用我的钥匙去开银箱的。

妈妈要是说道："你在做什么呀，顽皮的孩子？"

我便要告诉她道："妈妈，你不知道我已经同爸爸一样大了么？我必须拿钱给保姆。"

妈妈便将自言自语道："他可以随便把钱给他所喜欢的人，因为他是大人了。"

当十月里放假的时候，爸爸将要回家，他会以为我还是一个小孩子，为我从城里带了小鞋子和小绸衫来。

我便要说道："爸爸，把这些东西给哥哥吧，因为我已经同你一样大了。"

爸爸便想了一想，自言自语道："他可以随便去买他自己穿的衣裳，因为他是大人了。"

（泰戈尔）

胎教故事袋：小猫钓鱼

超级经典的《小猫钓鱼》，但愿我们的宝宝能早点明白其中的道理。

小猫和哥哥一起去钓鱼。一会儿，飞来了一只蜻蜓。小猫赶紧放下鱼竿，去捉蜻蜓。

小猫没有捉到蜻蜓，跑回来一看，哥哥已经钓到了一条大鱼。他就学着哥哥的样子又开始钓鱼。

过了一会，又飞来一只蝴蝶，小猫又扔下鱼竿去捉蝴蝶。

蝴蝶飞走了，小猫又空着手回来了。这时，哥哥又钓到了一条大鱼。

小猫很羡慕，望着自己空空的鱼桶，小猫问哥哥："为什么我钓不到鱼呢？"

哥哥对他说："你总是三心二意的，怎么能钓到鱼呢？"

小猫听了哥哥的话，坐下来开始一心一意地钓鱼。蜻蜓、蝴蝶又飞过来了，可是小猫再也不会被它们吸引了，坐在岸边一动也不动地等着鱼上钩。

过了一会儿，小锚终于钓到了一条大鱼。

准爸爸讲百科：鱼为什么离不开水

有了胎宝宝后，很多家庭选择了观赏鱼作为宠物。准爸爸给胎宝宝讲百科知识，也可以从这里入手。

宝宝你看这小金鱼，游来游去的，可好玩了。可是它们为什么老得待在水里呀？

你看看啊，这是小金鱼的腮，腮盖下面布满了腮丝，小金鱼就是靠这些鳃丝吸收溶解在水中的氧气来生存的，这跟我们人类要吸收空气中的氧气维持生命是一个道理。

由于鱼的鳃丝是一条一条的，在水里才能将鳃丝充分展开，如果离开水，鳃丝就会粘到一起，使吸收氧气的面积减少，小金鱼就会因为供氧不足而死亡。所以呢，小金鱼是不能离开水的。

一起出去玩吧

选择一个天气晴朗的日子，准爸爸和孕妈妈一起到近郊半日游吧！

一起出去玩，告诉胎宝宝你所遇见的任何事情：

山里的空气要比城市的感觉清凉；

树叶比巴掌还大的大树树干，爸爸、妈妈两个人都合抱不过来；

原来妈妈常吃的栗子，挂果的时候是一个个的刺球球，而葵花子则长在脸盆那么大的花冠里，调皮的小松鼠，老跑到路边来，是因为它们知道宝宝要来看它们吗？

斯瑟蒂克的提示

只要身体和气候条件许可，孕妈妈应尽量外出，创造接触各种事物的机会。实际看到和接触到的事物不同于幻想或书本内容，它们均是能用五官来感受的生动的教材。

胎教营养餐：山药五彩虾仁

原料：

山药500克，虾仁250克，熟豌豆2汤匙，胡萝卜半根，盐、醋、水淀粉、香油各适量。

做法：

1. 山药、胡萝卜去皮，浸入盐水中片刻后沥干，切长条，用沸水焯烫，过凉水备用。

2. 虾仁洗净，用盐、醋腌20分钟后捞起。

3. 山药、胡萝卜、虾仁下油锅，爆香同炒片刻，加入水淀粉，等汤汁稍干，放入熟豌豆，淋上香油起锅即可。

营养提示：山药具有补脾养胃、补肺益肾的功效，虾仁含有丰富的钙质，是孕妈妈的绝佳食物。

第15周 对你的感觉更真实

报告妈妈：我的头顶上开始长出细细的头发，连眉毛也长出来了，我的皮肤上有一层细绒毛，好像是一条细绒毯盖在身上，不过随着孕周增长，这层绒毛逐渐减少，通常在出生时就会消失。现在的我会握拳、眯眼斜视、皱眉头，还会吸吮自己的大拇指！我长得很快，身长10~12厘米，体重约50克。

对话胎宝宝：妈妈给你买衣服了

宝宝，今天爸爸妈妈到孕婴用品店给你买衣服去了。

妈妈给你买了和尚袍、小裤子、小袜子，还有口水肩！其实现在离你用口水肩的时候还远着呢，但是妈妈觉得那个好可爱，就先给你买了。

听说有的宝宝是不需要口水肩的，你会不会也这样呢？小袜子我也是觉得漂亮就买了，呵呵，等你出生了，再由你自己挑。

那些小衣服好可爱呀，连妈妈都羡慕你呢！宝宝，你快点出来吧！

斯瑟蒂克胎教音乐：爱之梦

钢琴名曲《爱之梦》，由匈牙利作曲家李斯特谱写，主旋律的表达是：爱吧，能爱多久就爱多久。乐曲满含着爱的柔情和愉悦，展现着甜美的主题，并随着情绪的波动变得更加热情，旋律渐渐上扬，最后在梦一般美丽的旋律中，恋恋不舍地结束。

当初李斯特作《爱之梦》时，灵感是来自弗莱里格拉特的诗歌《爱吧》。

爱吧，能爱多久，愿爱多久就爱多久吧，

你的心总得保持炽热，保持眷恋，

只要还有一颗心对你回报温暖。

只要有人对你披露真诚，你就得尽你所能，

叫他时时快乐，没有片刻愁闷！

斯瑟蒂克的提示

时刻把深爱倾注在你腹中的胎宝宝身上，让胎宝宝感受到你安宁、平和和稳定的情绪，这对胎宝宝的成长极为有利。这支曲子呼应了所有母亲的心声：我的宝宝，我对你的爱没有尽头。这首曲子，你同样可以在本书附赠的胎教CD上找到。

妈妈读书时间

笑[2]

人类最美丽的表情是笑，想想将有一个小人儿，朝你散发那迷人的笑，天底下最幸福的事情莫过于此了！

雨声渐渐的住了，窗帘后隐隐的透进清光来。推开窗户一看，呀！凉云散了，树叶上的残滴，映着月儿，好似萤光千点，闪闪烁烁的动着。真没想到苦雨孤灯之后，会有这么一幅清美的图画！

凭窗站了一会儿，微微的觉得凉意侵人。转过身来，忽然眼花缭乱，屋子里的别的东西，都隐在光云里，一片幽辉。只浸着墙上画中的安琪儿。这白衣的安琪儿，抱着花儿，扬着翅儿，向着我微微的笑。

“这笑容仿佛在哪儿看见过似的，什么时候，我曾……”我不知不觉的便坐在窗口下想，默默的想。

严闭的心幕，慢慢的拉开了，涌出五年前的一个印象。一条很长的古道。驴脚下的泥，兀自滑滑的。田沟里的水，潺潺的流着。近村的绿树，都笼在湿烟里。弓儿似的新月，挂在树梢。一边走着，似乎道旁有一个孩子，抱着一堆灿白的东西。驴儿过去了，无意中回头一看。他抱着花儿，赤着脚儿，向着我微微的笑。

“这笑容又仿佛是哪儿看见过似的！”我仍是想，默默的想。

又现出一重心幕来，也慢慢的拉开了，涌出十年前的一个印象。茅檐下的雨水，一滴一滴的落到衣上来。土阶边的水泡儿，泛来泛去的乱转。门前的麦垅和葡萄架子，都濯得新黄嫩绿的非常鲜丽。一会儿好容易雨晴了，连忙走下坡儿去。迎头看见月儿从海面上来了，猛然记得有件东西忘下了，站住了，回过头来。这茅屋里的老妇人，她倚着门儿，抱着花儿，向着我微微的笑。

这同样微妙的神情，好似游丝一般，飘飘漾漾的合拢来，绾在一起。这时心下光明澄静，如登仙界，如归故乡。眼前浮现的三个笑容，一时融化在爱的调和里看不分明了。

（冰心）

树叶拼贴画——鸟

做一幅漂亮的拼贴画

闲来无事，做一幅拼贴画吧！既可以怡情养性，又能够美化家居，同时也是孕期难得的纪念之一。常用的拼贴画材料有：鸡蛋壳、果核、贝壳、羽毛、树皮、布帛、皮毛、通草、麦秆等，就连孕期常吃的坚果类小零食的皮儿，都能成为拼贴画的材料。

孕妈妈还可以把杂志上的照片、插图剪下来，或者贴上有色彩的纸，拼成风景和人物图等。目的不在于完成后是否漂亮、精致，而在于制作过程中显示出的独创性，以及讲给胎宝宝听时，想象力对胎儿所起的作用。

准爸爸的鼓励很重要

怀了宝宝，孕妈妈的生理、心理都有所改变，遇见孕妈妈闹情绪，准爸爸该怎么做呢？

马上转移话题，谈论她平时最喜欢的事情。比如商场打折啦，流行风向啦，特色餐厅啦，旅游计划啦，引导孕妈妈的情绪；

鼓励孕妈妈把自己的烦恼写出来或和密友、心理医生交流；

鼓励孕妈妈参加聚会，在朋友圈中交流信息，开拓视野，增加自信；

改变家中的布置，全新的感觉会点亮心情；

积极准备孕妈妈爱吃的东西，及时叮嘱她多吃蔬菜水果……

斯瑟蒂克的提示

准爸爸在平和孕妈妈的心情方面有重要的作用，及时对孕妈妈给予理解和安慰，使她的精神不再紧张，会使孕妈妈感到极大的心理满足，从而利于腹中胎宝宝的成长。

胎教营养餐：小米蒸排骨

原料：

猪排500克，小米150克，植物油、冰糖、甜酱、盐、大葱、老姜、香油各适量。

做法：

1. 排骨洗净，斩成4厘米的长段。

2. 姜切末，葱切花，小米淘净后用水浸泡待用。

3. 排骨加甜酱、冰糖、盐、姜末、植物油拌匀，装入蒸碗，排骨上面放小米，上笼锅用大火蒸熟，取出扣入圆盘内，撒上葱花。

4. 锅置大火上，放入香油烧至七成热，起锅淋于葱花上面即成。

营养提示：小米富含膳食纤维，排骨能提供优质蛋白质、脂肪以及丰富的钙质，可以帮助孕妈妈恢复体力，增加食欲，同时促进胎宝宝成长。

第16周 你在打嗝吗

报告妈妈：我又长大了一点！身长大约有13厘米，体重达到了150克左右。现在的我，大小正好可以放在你的手掌里。我的手指关节会动了，我还会打嗝，打嗝是因为我就快会呼吸了。

对话胎宝宝：妈妈画得像你吗

我曾经不止一次在心里描绘过你的样子，有的时候，妈妈情不自禁地拿起笔，去画你的样子，可是一落笔，好像又不是刚才所想的那样了。要是有个心灵摄像机该多好啊，把妈妈想象中的你给拍下来，等你出生之后，再好好比一比，看看是不是像你？

妈妈唱儿歌：月亮船

有月亮的夜晚，看着天空中的月亮给胎宝宝唱这首歌，连你都觉得自己在跟着月亮走呢！

月亮船呀月亮船
带着妈妈的歌呀
飘进了我的摇篮
淡淡轻辉盈盈照
好像妈妈望着我笑眼弯弯
月亮船呀月亮船
带着童年的神秘
飘进了我的梦乡
悄悄带走无忧夜
不知不觉靠近青春岸
月亮船呀月亮船
带着一个小小心愿
停泊在枕边
月亮船呀月亮船
带着一个小小心愿
停泊在心间

斯瑟蒂克的提示

胎宝宝和孕妈妈是“母子同心”的，把歌词中的想象画面勾勒出来，也许你会感觉到，腹中的胎宝宝好像在很舒服地舒展着他的小身体。

妈妈读书时间

玩具

从孩子那些纯真、朴素的游戏中，你是不是会获得某种启示呢？

孩子，你真是快活呀，一早晨坐在泥土里，耍着折下来的小树枝儿。

我微笑地看你在那里耍着那根折下来的小树枝儿。

我正忙着算帐，一小时一小时在那里加叠数字。

也许你在看我，想道：这种好没趣的游戏，竟把你的一早晨的好时间浪费掉了！

孩子，我忘了聚精会神玩耍树枝与泥饼的方法了。

我寻求贵重的玩具，收集金块与银块。

你呢，无论找到什么便去做你的快乐的游戏，我呢，却把我的时间与力气都浪费在那些我永不能得到的东西上。

我在我的脆薄的独木船里挣扎着要航过欲望之海，竟忘了我也是在那里做游戏了。

（泰戈尔）

最快乐的事情莫过于帮助别人，孕妈妈要把这个小道理讲给胎宝宝听啊！

有一个小姑娘，名字叫然妮娅，一天，妈妈让她去买面包，可是她刚把香喷喷的面包买到手，就被一只小狗给偷吃了。她非常伤心，难过得哭了出来。

这时，一位慈祥的老奶奶出现了，她看然妮娅哭得这么伤心，便拿出了一朵七色花，对然妮娅说："小姑娘，别伤心了，我这有朵七色花，它有七种不同颜色的花瓣，把它送给你吧。"

老奶奶说："这朵小花儿，可不是平常的花哟。你不论想要什么，它都能给你变出来。当你想要什么的时候，你就摘下一小瓣儿来，抛向高处，同时说：'飞吧，飞吧，小花瓣，从西飞到东，从北飞到南，飞着兜上一个圈，兜完圈儿落到地，我要怎样就怎样。'说完这几句，你就接着说你要什么什么，它马上就会给你变出来的。"

然妮娅很有礼貌地向老奶奶说了感谢的话，就走出了篱笆门。

然妮娅摘下一片黄的小花瓣，把它抛起来，让花瓣带给自己一串面包，并把自己送回家。一眨眼工夫，她就回到自己家里了，手上的麻线提着圈形面包。然妮娅想，这可真是神奇的小花。

一天，然妮娅看到男孩子们在玩到北极的游戏，她也很想玩，但是男孩子们不欢迎她，说女孩子不应该到北极的，所以然妮娅拿出珍奇的七色花来，摘下一片蓝色的花瓣，抛向高处，让花瓣帮自己去北极。

可是然妮娅这时还穿着夏天的连衣裙，光着一双小脚丫，到了零下一百摄氏度的北极！然妮娅冻坏了，所以她赶紧摘下绿色的花瓣，又让自己回到了家里。

然妮娅看到门外的女孩儿正在玩洋娃娃。然妮娅也很想玩，所以她又摘下一片橙色的花瓣，抛向空中，让花瓣把世界上所有的玩具都变成自己的。这下玩具忽然从四面八方潮水般向她涌来。可把然妮娅吓坏了，所以她赶紧摘下一瓣紫色的花瓣把这些玩具都弄回去了。

然妮娅看了看自己的七色花，发现只剩下一瓣了。

忽然，然妮娅看见一个小男孩儿坐在门口，满脸忧伤地看着活蹦乱跳的伙伴们。然妮娅很喜欢这个小男孩，于是她问："你可以和我一起玩吗？"

小男孩儿摇了摇头说："我不能。我的一条腿跛了。"

然妮娅很想让这个男孩好起来，所以，她摘下最后一片天蓝色的花瓣，拿它在眼睛上贴一下，然后松开小手指，接着用她那细甜细甜的嗓子唱起来，她的嗓音幸福得微微发颤："飞吧，飞吧，小花瓣，从西飞到东，从北飞到南，飞着兜上一个圈，兜完圈儿落到地，我要怎样就怎样。我要小男孩的腿好好儿的！"

就在然妮娅说话的一瞬间，小男孩从板凳上跳了下来，和然妮娅玩起了捉迷藏的游戏。

斯瑟蒂克的提示

孕妈妈讲七色花的时候，将每一瓣花瓣的颜色印入大脑，或者先用笔按照故事将七色花画出来，在讲到北极的时候也可以给胎宝宝简单讲一下北极的地理情况。

别忘了告诉胎宝宝，能够帮助别人是最幸福的事情。

准爸爸讲百科：袋鼠妈妈的大袋子

胎宝宝在妈妈的肚子里健康地成长，不久的将来就要离开妈妈的肚子，真正降临到这个世界上了。但是世界上有一种动物，出生之后还是要待在妈妈肚子里的，那就是小袋鼠。可这是为什么呢？准爸爸快讲给胎宝宝听吧！

宝宝你知道吗？袋鼠是将自己的宝宝放在育儿袋里养育的。袋鼠妈妈的育儿袋，是长在身上的一个大袋子，小袋鼠一出生就爬进这个大袋子里，吃奶、睡觉也都在里面，一直长到6~7个月才开始短暂地离开育儿袋，学习独立生活。一有危险，小袋鼠就马上跳进妈妈的大袋子里面，由妈妈带着逃离危险。当危险过去，小袋鼠就又把小脑袋探出妈妈的大袋子。

斯瑟蒂克的提示

讲这则知识前，可以准备好袋鼠的卡片或者给孕妈妈播放相关的影像资料，孕妈妈一边听准爸爸的讲述一边将袋鼠的形象浮现在脑海里。

准爸爸还可以模仿袋鼠跳跃的样子，或者用围裙和毛绒玩具比拟袋鼠妈妈和袋鼠宝宝的情况。

胎教营养餐：糖醋莲藕

原料：

嫩藕600克，花椒1匙，植物油1匙，盐、糖、醋各适量。

做法：

1. 嫩藕洗净，切薄片泡于盐水中。
2. 在锅中烧半锅开水焯烫藕片，捞起冲凉，沥干水分。
3. 锅中倒入油，加入花椒，小火炒香成花椒油后，熄火凉凉花椒油，捞掉花椒。
4. 将藕片加入盐、糖、醋及花椒油拌匀，放置半小时，使其入味即可食用。

营养提示：莲藕丰富的营养成分可以很好地促进胎宝宝发育，其较高的含铁量还可以预防孕期贫血。

第17周 小小“窃听者”

报告妈妈：现在已经进入第5个月，我长到一只梨子那么大了，以后的3周，我的身长和体重都会增加两倍以上，不但肺、循环系统和尿道都开始工作了，还有了听力，可以听到妈妈的心跳声、血流声、肠鸣声和说话声了！妈妈，多和我说话啊！

对话胎宝宝：听见妈妈说话了吗

医生说，宝宝现在可以听见妈妈说话了，妈妈好高兴啊！我的宝宝，我爱你，你听见了吗？从今天开始，妈妈将给宝宝听更多更美妙的音乐，更优美的文章，让我的宝宝能掌握更多的知识。

妈妈唱儿歌：种太阳

童心是世界上最美丽的心，他们心里总是会想到别人。你的胎宝宝肯定会喜欢这首儿歌的。

我有一个美丽的愿望
长大以后能播种太阳
播种一个　一个就够了
会结出许多的许多的太阳
一个送给　送给南极
一个送给　送给北冰洋
一个挂在　挂在冬天
一个挂在晚上　挂在晚上
啦啦啦种太阳
啦啦啦种太阳
啦啦啦啦啦啦啦啦
种太阳
到那个时候世界每个角落
都会变得都会变得温暖又明亮

准爸爸的睡前问候

每天睡觉之前，准爸爸都要记得和宝宝打招呼哦。

宝宝，还没睡觉吗？现在是不是有点困了呢？那就好好睡吧，明天爸爸再给宝宝讲故事啊。

斯瑟蒂克的提示

很多胎宝宝都喜欢准爸爸低沉的男中音，经常感受准爸爸的声音，不但能促进父子感情，还有助于胎宝宝记忆力的发展。

你已经能听到外面的声音了，这太神奇了！

妈妈读书时间

烛

燃烧的蜡烛总是营造出一种童话意境，那么就给胎宝宝讲个蜡烛的故事吧！

有一支很粗的蜡烛，它清楚自己的价值。

“我的生命源于蜡，是用模子铸成形的！”它说道，“我的光比别的光都亮，燃的时间也更长一些。我的位置在有罩的烛架上，在银烛台上！”

“那样的生活一定很美好！”油烛说道，“我不过是油烛罢了，在一根签子上浇成的烛。您在大厅里的灯罩里，我留在厨房里。不过那也是一个很好的地方，全家人的饭菜都是从那儿来的。”

“但是还有比饭食更重要的东西！”蜡烛说道，“欢宴！你看欢宴时的辉煌，和自己在欢宴中放出的光辉吧！今天晚上有舞会，不一会儿我和我的家人便要去参加了。”

话刚说完，所有的蜡烛便被拿走了。不过油烛也一起被拿走了，夫人用娇巧的手亲自拿着它，把它拿到厨房。那儿有一个小男孩手提着篮子，篮子里装满土豆，里面还有一两只苹果。这都是善良的夫人给这个孩子的。

“再给你一支烛，我的小朋友！”她说道，“你的母亲要坐在那里工作到深夜，她用得着它！”

于是它被搁进篮子，盖起来。小男孩带着它走了。

油烛来到了孩子的家。一个母亲带着三个孩子，住在富人家对面的一间低矮的屋子里。

“上帝赐福给那位善良的夫人！她送给我这些东西。”母亲说道，“这是一支很好的烛！它可以一直燃到深夜。”烛被点燃了。

那边的蜡烛也都点燃了，烛光射到了街上。一辆马车隆隆驶来，载着身穿华贵衣服的客人参加舞会，这时音乐响了起来。

“那边开始了！”油烛想，“那个情景我再也看不到了！”

这时，家里最小的孩子进来了，这是一个小姑娘。她搂着哥哥姐姐的脖子，她有一件很重要的事要讲，所以必须悄悄地说：“我们今天晚上——想想看！——我们今天晚上吃热土豆！”

她的脸发出幸福的光亮，烛光正射在她的脸上。

桌子摆好了，土豆也吃掉了。哦，味道多美哟！真是一顿节日的美餐。然后，每人还分到一只苹果。最小的那个孩子念起了一首小诗：

好上帝，谢谢你，

你又让我吃饱了！

阿门！

孩子们都上了床。每人得到一个吻，很快便都睡着了。母亲坐着缝衣，一直缝到了深夜，为了挣钱养活自己和孩子。富人那边烛光闪闪，乐声悠扬。星星照着千家万户，照着富人家也照着穷人家，同样明亮，同样慈祥。

“这真是一个十分美好的夜晚！”油烛觉得。

（安徒生）

斯瑟蒂克的提示

孕妈妈在读这个小故事时，也可以和胎宝宝一起分享自己的感悟。而且孕妈妈还可以亲自去体验蜡烛滑腻的手感以及暖暖的、柔和的烛光，并将这种体验传递给胎宝宝。

闪光卡片：胎宝宝学字母（1）

学习英语从字母开始，放松心情，保持平和，和我们的胎宝宝一起开始吧！

A 好像一顶尖帽子。一边联想着一顶尖尖的帽子，从上往下努力勾画其形象，一边反复正确地发音，同时用手指临摹字形，将“A”的形象印在脑海中并传递给胎宝宝。

B 就是贴墙摞着两个半圆。这个字母胖乎乎的，像个大胖子。反复读这个字母，让这个字形印入脑海，同时手指按卡片进行描画。

C 学习字母“C”时，孕妈妈可以联系以前的生活内容：“宝宝记得《月亮船》吗？C 长得就像弯弯的月亮……”

斯瑟蒂克的提示

孕妈妈可以按照以上方法教胎宝宝学习小写的英文字母。

民间艺术欣赏：年画

中国民间年画历史源远流长、色彩鲜明、喜庆吉祥、雅俗共赏，今天孕妈妈和胎宝宝一起欣赏一幅娃娃题材的年画吧！

年画中这个顽皮的小童子，手里挽着一张弓，手旁堆放着三个大仙桃，其中一个仙桃上面还插着一柄箭，他是拿仙桃练习射箭呢，还是在为自己的战利品高兴呢？

看到这里，孕妈妈是不是有所感想，想到了什么？那就赶快拿起笔，写下自己的欣赏心得吧！看看自己即将出生的小天使，是不是和现在所想到的是一个样子！

闪光卡片：胎宝宝学数字（1）

从现在开始，我们就要开始数字的学习了。

孕妈妈集中注意力凝视“1”的形状和颜色，让它在头脑中留下鲜明的印象。

然后开始联想，“1”像什么呢？“竖起来的铅笔”“笔直的电线杆”“手指”“妈妈的毛衣针”等，将这些形象印在头脑里传递给胎宝宝，加深胎宝宝对“1”的印象。

接下来你可以利用身边的事物，表达“1”的意思。“一个苹果”“一根手指”“一只筷子”“一部电话”……不断地想象，不断地强调，加强胎宝宝对这个数字的认识。

斯瑟蒂克的提示

在学习的过程中，孕妈妈尽可能从身边的事物中，找出合适的材料进行联想举例，这样会更明确，印象也会更深刻。而且孕妈妈要准确地发出“1”的读音，这也很重要。

第18周 感受胎动

报告妈妈：我在妈妈的肚皮下面安全地成长着，五官长得更像一个小婴儿了，如果妈妈现在能观察到我的话，会发现我不但会皱眉、会挤眼睛，还会做鬼脸了呢！我全身皮肤是半透明的，可以看见皮下血管甚至骨骼。我的骨骼软软的好像橡胶一样，它们也在成长着。现在的我，可以在妈妈肚子里活动了！

对话胎宝宝：你在做什么

宝宝，中午是不是做什么美梦了，朦胧中又撞了妈妈的肚子几下。你梦见什么了？是不是觉得自己在妈妈的肚子里有点闷，想到外面走一走，看一看？

我的宝宝以后会是个运动健将吗？还在妈妈肚子里的时候就这么爱锻炼身体，是不是想快点出来见到妈妈啊？

斯瑟蒂克胎教音乐：小夜曲

提到胎教音乐，不能不提莫扎特的 G 大调弦乐小夜曲。这首曲子是莫扎特所作十多首组曲型小夜曲中最受欢迎的一首。

G 大调弦乐小夜曲主题活泼流畅，明朗欢乐，温柔恬静，充满了青春的欢乐和活力，跳荡着无忧无虑的情感，非常适合给生长发育中的胎宝宝听。

斯瑟蒂克的提示

孕妈妈在听这首曲子的时候，根据音乐节奏想象出各种景象：轻盈的舞步、荡漾的轻舟、青春的舞者、幸福的恋人等情景，心里保持愉悦美好的感情。

妈妈读书时间

理想树[③]

给胎宝宝读一首意蕴深厚的诗歌吧，和你的胎宝宝一起体会生命的伟大。

你是一株美丽的树。你是一株智慧的树。并且，你是一株与日月俱增其美丽、智慧与生命，是的，生命的树。

我原以为，你在我这心的贫瘠的泥土上是不能生长的。我认为你应当是另一个乐园的沃土上的理想树。谁知你竟在我的心上发芽了，生长了。在我心的瘠土上，我植下了一株又一株的树，它们都没有长起来。并没有注意你的顽强的存在，你却在那里默默地伸展着，毫无怨言茂郁地长起来。

我已惊讶地见到你，闪光的你，张开了美丽的华盖，开放了美丽的花朵，结出了智慧的果实，培育着辉耀的理想。我膜拜着你，我的艺术之树。我膜拜着你，我的理想之树。

（徐迟）

闪光卡片：胎宝宝学图形（1）

选择一天里精神最充沛的时候和胎宝宝一起开始学习吧！

正方形

孕妈妈凝神注视卡片上的正方形，把这个图形映入大脑，将其视觉化之后传递给胎宝宝。

用手指沿正方形的四条边勾勒出正方形的形状。问问自己肚子中的胎宝宝："和卡片上的图形一样的东西在哪儿呀？"然后和胎宝宝一起在屋子里寻找："有了，坐垫、桌子、杯垫……"

孕妈妈把找到的正方形物件一个个拿在手里，一边讲"这是正方形"，一边用手描这个图形的轮廓，通过这种"三度学习法"进行胎教。

斯瑟蒂克的提示

图形的学习与数字的学习一样，重要的是将学习内容与生活紧密地联系在一起，也就是说等胎宝宝出生后，再用周围曾经用过的东西进行实物教学是最有效的。

胎教故事袋：风和太阳的赌注

太阳和风，到底是谁更厉害一些呢？真不好判断呀。那和胎宝宝一起来看看下面这个故事吧！

“在这个世界上，我的能力最强。要是没有我，植物不能生长，动物也无法生存。”太阳自我夸耀着。但他忽略了一个强大的对手——风。风认为自己才是能力最强的。

一天，太阳叫住匆匆赶路的风：“风，你承认在这个世界上我的能力最强了吗？”风不屑地哼了一声：“要是你看到我变成台风的样子，一定会吓得藏到云层里！”

双方没完没了地争论起来。最后，为了分出胜负，风和太阳决定打个赌。正巧一个路人走过他们面前，他们商量道：“我们就赌谁先能脱下那个人的外套，先做到的就算是赢。”

于是，风先进行挑战。巨大的海风开始聚集，呼啸着狂卷而来。地面上飞沙走石，行人立刻被裹到强风的中心，连站都站不稳了！可是，风刮得越大，行人就越是把衣领裹得紧紧的。结果，风偃旗息鼓，露出了尴尬的表情。

“该轮到我了！”太阳微笑着从云层里探出头来。于是，天气突然热了起来。行人热得不停地擦汗，太阳继续释放着热量。树叶晒晕了，花儿晒皱了，行人终于忍不住脱下外套，将它搭在手上，继续赶路。

这时，太阳嘲笑着说：“看见了吧？”

风不服气，说：“我们再赌一次。如果这次输的还是我，我就承认这世界上你的能力最强。”

就这样，太阳和风进行了第二场比赛，看谁能摘下农夫的草帽。

这一次，太阳先发起了挑战。太阳用尽力气，释放出强大的热量，农夫热得满头大汗，心想：“这样热的天气真是罕见！幸亏戴了草帽，否则一定会把脸晒伤！”农夫不仅没有摘下草帽，反而为戴了草帽而暗自庆幸。太阳只好摇摇头，退了下去。

接下来，风上场了。它为农夫送去了清凉的微风。“啊，真凉快啊！”农夫用毛巾擦了擦脸上的汗，然后摘下草帽，尽情地享受着凉爽的微风。

结果，这一回，风获得了胜利。

“呵呵，”风笑了，“我也不赖吧？”

从此，太阳和风都不好意思再自我吹擂了。

斯瑟蒂克的提示

孕妈妈在讲到风和太阳比赛的时候，充分发挥想象力：

海风的呼啸，烈日的暴晒，微风的凉爽……

将这些情景和感受由心底发出，如同身临其境，让胎宝宝明白：为什么在两场比赛中，人对太阳和风，有不同的反应。

闪光卡片：胎宝宝学数字(2)

今天要和胎宝宝一起学习数字“2”了。

集中注意力，将“2”的形状和颜色深深地印在头脑之中，加深对“2”的印象。

接下来开始联想，“2”像什么呢？“浮在水面上的天鹅”或者“飘扬的丝带”又或是“倒过来的秤勾”……你还可以发挥自己的想象力，进行联想，印象越深越好。

“2”是怎样的概念呢？你同样可以用身边的事物进行解释，“2块饼干”“2个盘子”“2根手指”……而且可以和“1”进行比较，这样胎宝宝的印象会更深。

胎教营养餐：京酱西葫芦

原料：

西葫芦1个，海米、枸杞子、盐、甜面酱、水淀粉、葱、姜、高汤各适量。

做法：

1. 西葫芦洗净切成厚片，葱、姜分别切好。

2. 起锅放油，油温四成热时倒入葱花、姜片、海米煸炒，再加少许甜面酱继续煸炒。

3. 锅中加入适量高汤，放入盐，再放入西葫芦。

4. 待西葫芦熟后放枸杞子，再用少许水淀粉勾芡，大火翻炒即可出锅。

营养提示：西葫芦含水量95%，热量低，特别适合孕中期食用。

第19周 是男孩还是女孩

报告妈妈：你说我总是在动，我是在踢腿、屈身、伸腰、滚动、吸吮大拇指呢！现在我已经长到15厘米左右，你也会觉得我动起来比以前有劲多了吧。在孕中期做B超时，医生可以清晰地分辨我的性别了。虽然我长到这么大了，但是你还是要监督爸爸不要让我被动吸烟啊！我很害怕的！

对话胎宝宝：你可真淘气

宝宝，你现在是一门心思要在妈妈肚子里开一人运动会呢？我怎么觉得怀了个天生武术家呢？玩归玩，可别累着啊！有的时候妈妈睡着了，都感觉你在里面打滚儿！你可真有能耐！你爸爸说淘气的孩子多半聪明，你真是很淘气啊……

妈妈唱儿歌：数鸭子

这首有趣的儿歌不但能让胎宝宝体验到欢乐愉快的感觉，还能够增强对数字的记忆，在孕妈妈做家务的时候也可以哼唱。

门前大桥下，游过一群鸭，
快来快来数一数，二四六七八。
门前大桥下，游过一群鸭，
快来快来数一数，二四六七八。
嘎嘎嘎嘎，真呀真多呀，
数不清到底多少鸭，数不清到底多少鸭。
赶鸭老爷爷，胡子白花花。
唱呀唱着家乡戏，还会说笑话。
小孩小孩快快上学校，别考个鸭蛋抱回家。
门前大桥下，游过一群鸭，
快来快来数一数，二四六七八。

妈妈读书时间

我们去寻找一盏灯④

顾城被称为童话般的诗人，他的很多诗中，都能寻找到一个孩子任性天真的形象。所以读一首顾城的诗吧，给我们的生活来一点诗意，让腹中的孩子和孕妈妈一起，徜徉在诗作的柔美遐思中。

走了那么远
我们去寻找一盏灯

你说
它在窗帘后面
被纯白的墙壁围绕
从黄昏牵来的野花
将变成另一种颜色

走了那么远
我们去寻找一盏灯

你说
它在一个小站上
注视着周围的荒草

让列车静静驶过
带走温和的记忆

走了那么远
我们去寻找一盏灯

你说
它就在大海旁边
像金橘一样美丽
所有喜欢它的孩子
都将在早晨长大

走了那么远
我们去寻找一盏灯

（顾城）

闪光卡片：胎宝宝学字母（2）

在闪光卡片课程开始之前，孕妈妈先充分放松自己，然后，愉快地和胎宝宝开始今天的学习。

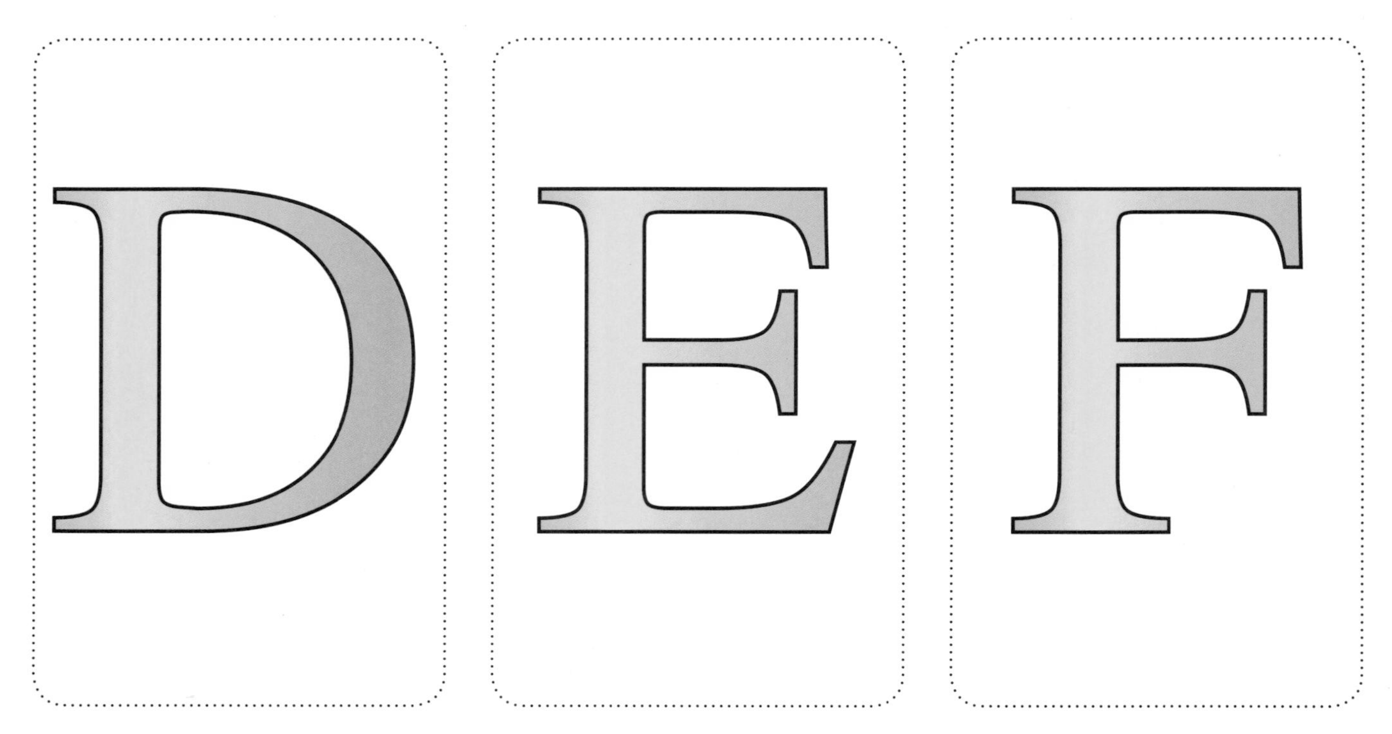

D是个开心的字母，它老是一副哈哈大笑的样子！孕妈妈要集中注意力，看卡片上的字母，深深地将它沉入心底，让胎宝宝和你一起感知。同时用手指沿着卡片摹写这个“D”。

E像三根小棍儿横插在一支杆子上，还像三个小人儿排成一队……

F就是E下面缺了一横，就像一根竖棍，右边生出了一长一短两只小手。孕妈妈可以闭上眼睛，想象一个大大的F，逐渐地“印在”自己的肚皮上，然后慢慢地传递给胎宝宝。

斯瑟蒂克的提示

在临摹字母的时候要准确发音，可以多重复几次。

学习的时候要特别用心，因为胎宝宝能通过你的眼睛和大脑来识别文字和数字，并且把它们记住。

儿童画：下棋

儿童比我们高明的地方，在于他们眼里总是能够看到新鲜澄净的世界。谁说小孩子就不会创作呢？他们是多么善于发现生活中的美啊！

这幅儿童画《下棋》，选取了最寻常的居家生活片段。小女孩和爸爸在家里下围棋，画面表现的似乎是小姑娘发现了爸爸的“情况”，乐颠颠地指出来：“爸爸作弊！”爸爸两手一摊：“没有啊！”

看这幅画，孕妈妈是不是也联想到不久的将来，你坐在沙发上织毛衣，远远看着孩子和父亲在桌子边下棋的情景呢？让准爸爸也过来一起欣赏这幅有趣的儿童画吧！

闪光卡片：胎宝宝学图形（2）

胎宝宝现在要学的内容真不少呀！孕妈妈不但要保持充分的精力，更要有蓬勃的学习兴致，因为你肚子里的宝宝，对新事物充满了期待呢！

今天要学习的是长方形。

孕妈妈要将精力集中在图形上，同时正确读出“长方形”的音，重复多次，并用手指临摹图形的边缘。

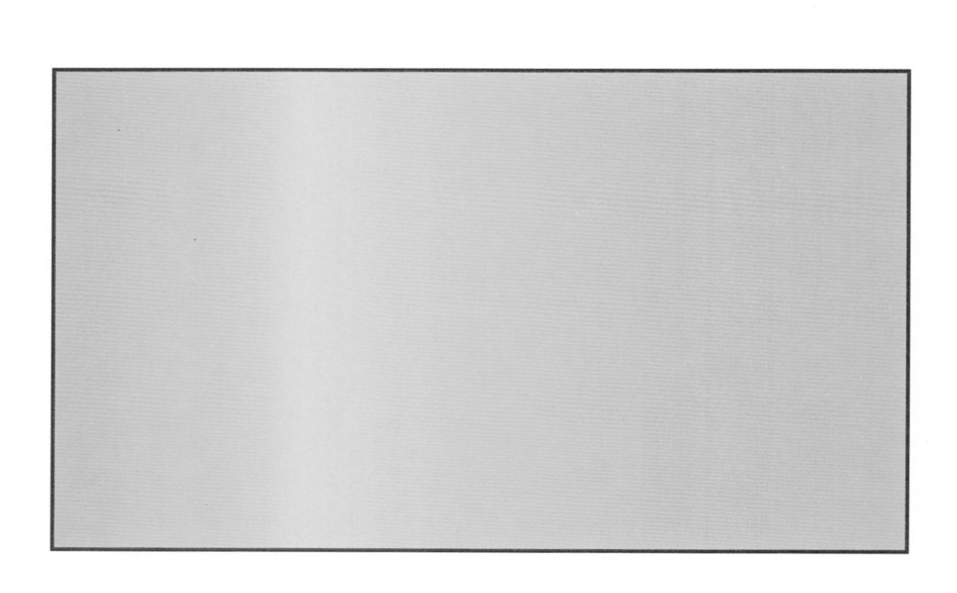

长方形

将新学的图形视觉化并传递给胎宝宝之后，再和胎宝宝一起搜寻“长方形”的物品，“长方形的桌子”“书本”“卧室的门、窗”“漂亮的包装盒”……可以将它们都找出来，用手一一感受，也可以闭上眼睛，用头脑回忆，重现相应的物品形象。

斯瑟蒂克的提示

给胎宝宝准备一套积木吧，既方便开展图形胎教，又能让宝宝在出生之后玩。

用积木做图形胎教的时候，可以把积木衬在浅颜色的纸上面，突出颜色对比，加强图形的视觉感受。

准爸爸的“工作报告”

在准爸爸离家工作的这段时间里，发生了什么事情呢？和胎宝宝说说吧！这也是促进胎宝宝认识世界、增加社会知识的机会呢！

准爸爸和胎宝宝打声招呼吧，开始汇报啦！

爸爸工作单位的建筑外形是怎么样的呢？爸爸有多少同事呢？爸爸的岗位职责是什么呢？今天爸爸的工作内容是什么呢？

中午爸爸是在单位吃的午饭吗？午饭吃的是什么呢？和同事聊了什么有趣的话题呢？

下班回家的时候，爸爸看见了什么呢？有什么好玩的、有趣的事情发生呢？

斯瑟蒂克的提示

孕妈妈要理解准爸爸说的内容，不懂则问。要不时地表达自己的感受。

逛逛公园吧

家附近的公园里，是不是举办展览或者主题活动呢？带上准爸爸，一起去看看！

公园的绿植，可有什么变化？公园里的游人，可有什么不同？上次来遇见双胞胎婴儿车的那条林荫道，今天又会遇见什么人呢？天上的风筝还是那样多吗？现在公园里的气息，还是上次那么明显的茉莉香味吗？

所有这些，孕妈妈都可以给胎宝宝讲，啊，原来世界是这样的温馨、美好！

胎教营养餐：西红柿炖豆腐

原料：

西红柿2个（可以多加），豆腐1块，植物油、盐各少许。

做法：

1. 西红柿洗净切片后，放少许油煸炒7~8分钟，火候不可太大，炒到西红柿成汤汁状。

2. 豆腐切条，下入西红柿原汤中，添适量水、盐，大火炖开，改小火慢炖30分钟左右收汤即可。

营养提示：豆腐含有丰富的钙质，可以帮助孕妈妈补钙。

第20周 能感受到光了

报告妈妈：本周开始，我的视网膜就形成了，对光线有感应了，能隐约感觉到妈妈腹壁外的亮光，就是说，我又能听、又能看了，呵呵！味觉、嗅觉、听觉和触觉开始在大脑的专门区域里迅速发育，神经元之间的沟通联系开始增多。我越来越爱动了，妈妈你感觉到了吗？

对话胎宝宝：宝宝，笑一个吧

昨天，你爸爸又给我拍照了，我在说“茄子”的时候，情不自禁想到了你，现在的你，会笑了吗？是不是你在肚子里，也跟着妈妈做同样的动作呢？啊，我都能够想象到你在调皮地眨眼了！

斯瑟蒂克胎教音乐：四季·春

《四季》出自小提琴协奏曲集《和声与创意的尝试》当中的前四首，是意大利著名作曲家维瓦尔第作于1725年，这四首作品分别被赋上了“春”“夏”“秋”“冬”四个标题，“春”的旋律十分适合孕妈妈和胎宝宝一起欣赏。

“春”表现了春天或华丽洒脱或悠闲静谧的景象。你仿佛看到了明媚的春光，听到了小鸟的欢唱，感受到微风拂过清泉，转瞬又乌云笼罩、电光闪闪、雷声隆隆。继而是在鲜花盛开的草地上，在簌簌作响的草丛中，牧羊人在歇息，忠实的牧羊狗躺在一旁。忽然又是伴随着乡间风笛欢快的音响，在可爱春天的晴朗天空下，仙女们与牧羊人翩翩起舞……

斯瑟蒂克的提示

孕妈妈在听这首小提琴曲时，边听边联想音乐中描绘的情景，还可以结合音乐中的形象，给胎宝宝讲一讲春天的故事：春天会看到什么，听到什么，吃到什么，等等。

而且，还可以用这种方式，给胎宝宝讲一讲其他三个季节，和胎宝宝一起感受四季的美好。

妈妈读书时间

雪花的快乐

冬天里最独特的景色莫过于雪花飘飘了，那么就和胎宝宝一起，分享《雪花的快乐》吧！

假如我是一朵雪花，
翩翩的在半空里潇洒，
我一定认清我的方向——
飞扬，飞扬，飞扬——
这地面上有我的方向。

不去那冷寞的幽谷，
不去那凄清的山麓，
也不上荒街去惆怅——
飞扬，飞扬，飞扬——
你看，我有我的方向。

在半空里娟娟的飞舞，
认明了那清幽的住处，
等着她来花园里探望——
飞扬，飞扬，飞扬——
啊，她身上有朱砂梅的清香！

那时我凭借我的身轻，
盈盈的，沾住了她的衣襟，
贴近她柔波似的心胸——
消溶，消溶，消溶——
溶入了她柔波似的心胸

（徐志摩）

准爸爸讲百科：为什么会有四季

为什么会出现四季呢？你是不是也有这样的疑问呢？这个问题，就让准爸爸解释一下吧！

我们居住的地球，是围绕太阳转动的，这种转动叫做公转。同时呢，地球自己也在倾斜着身子自我旋转着，对，就像芭蕾舞演员一样边转圈边移动。

太阳是个发光发热的大火球，当太阳光直射地球表面时，地球表面温度就高，但是因为地球是斜着身子的，所以有的地区受到的太阳光就要少些。

地球围绕太阳公转一周是一年，所以在这一年中出现了冷热不同的时间段，它们就是四季了。

斯瑟蒂克的提示

讲解的时候准爸爸可以模仿地球绕着太阳转，这样可爱的行动不仅胎宝宝会喜欢，孕妈妈也会很开心的。

也可以告诉胎宝宝，现在是哪一季节了，在户外和室内都能看到些什么。

淘气的小家伙，
你是不是把妈妈的肚子当成运动场了？

闪光卡片：胎宝宝学字母（3）

喝口水，做下深呼吸，必要的话小睡一会儿，为下一步的学习做准备。

尽量让自己保持平稳宁静的心情，只有孕妈妈心态良好，胎宝宝才能学进更多的东西。准备好了，就开始吧！

G怎么那么像我们以前学过的一个字母呢？想想看……哦，原来是像C！不过这个G，还有点小尾巴，宝宝，是不是觉得它像刚发芽的豆芽？它念做G——

H多像一架梯子啊！不过，它只有一节脚踏板儿。孕妈妈还可以用双手比划出“H”的造型，方便胎宝宝加深记忆。

I相对简单一些，但是孕妈妈同样要用心对待，因为所有这些，都是胎宝宝初次接触的，让我们和以前的学习一样，专注地把它记在脑子里，一边描摹它一边念出它的发音，然后告诉胎宝宝，这个字母像个站立的人，如果它大写的话，就是“我”的意思。

胎教故事袋：小水滴

孕妈妈给胎宝宝讲个故事吧！看看我们熟悉的小水滴，会经历怎样神奇的旅行？

“啊，真热啊！”在空中飘浮着的水滴纷纷吵嚷着。

红彤彤的太阳火辣辣地照射着。地面上的水滴们的身体自然而然地变得轻盈，并不知不觉地向天上飞去。

一个小水滴吻了吻花蕊，挥着手，远离了心爱的花儿。

渐渐地，水滴们越飞越高，空气也越来越冷。

一直紧闭着眼的小水滴悄悄睁开了眼。“啊！”小水滴发出一声快乐的欢呼。原来，它发现在不知不觉中，所有水滴都已经凝结在一起，变成了一大片白白的卷云。

变成卷云的小水滴们快活极了！它们手牵着手，在天空中任意地翻卷、歌唱。在高高的空中，小水滴们既可以自由地飘游，又可以看到各种神奇瑰丽的景象。

“天空真美啊！”

“可是，我们应该回到低处，和别的云凝结成更重的黑色的云。那样，我们就有可能变成小雨滴了。”

“不，我不要变成黑色！”

想到洁白的身体要变黑，这个小水滴赶紧飞到了更高的高空。

地面上的花儿一直在默默地凝望着天空。它十分想念小水滴朋友，于是忍不住四处张望，希望小水滴能随时出现在她身旁。

“仔细找找看，我在草原的陪衬下会变成什么？”花儿忽然想起小水滴说过的话。

这时，在花儿的视线里出现了一块美丽的浮云。

“噢，美丽的云朵啊，你是我的小水滴朋友变成的吧？”

花儿用尽力气向这块云朵高喊。

一瞬间，美丽的云朵微微露出了笑容，它似乎听到了花儿的喊声。

一阵清风掠过，花儿温柔地向上仰望，然后静静地绽开了所有的蕊。美丽的云儿随着风悠悠地飘着，就像草原上正在吃草的羊群，优雅、宁静。

斯瑟蒂克的提示

在给胎宝宝讲这个故事的时候，孕妈妈要想象出小水滴的变化：

想象沾在花朵上，晶莹剔透的露珠；

想象在太阳的照射下，温度升高，露珠消失；

想象白色的卷云在天空中舒展、翻卷，看到阳光的折射变幻；

想象黑色的积雨云的潮湿沉重；

想象小水滴俯视美丽的草原；

想象花儿仰视白云朵朵的天空……

闪光卡片：胎宝宝学数字(3)

今天我们要学习数字“3”了。

把“3”的形状和颜色从卡片上印入心里，好像把它从水底牵引出水面一样。

准确清晰地读出这个数字“3”，用手指描摹这个数字，反复多次，然后展开想象：“3”的形状像什么呢？“一只小耳朵”“漂亮的门把手”“蝴蝶的一扇翅膀”“像这个形状的小饼干”……在屋子里找找看，或者闭上眼睛仔细想想，把想到的都在脑海里细致地刻画出来。

生活中什么事物常以“3”出现呢？有了，宝宝、妈妈、爸爸，就是一个幸福的三口之家，在墙上有3个按钮，家用电器的调节有3挡……

斯瑟蒂克的提示

孕妈妈可以将“3”和前几天学的“1”和“2”联系起来比较。

走出屋子，看到和“3”有关的事物都告诉胎宝宝，在生活中加深对这些数字的印象。

第21周 滑溜溜的

报告妈妈：我的体重又增加了，现在我的身上覆盖了一层白白的、滑溜溜的保护膜——胎脂，胎脂保护我避免因羊水长久浸泡带来的伤害。现在的我对铁的需求量比较大，妈妈要及时补充铁质，小心预防贫血。

对话胎宝宝：难道你是女孩

每次你爸爸和你说话，你就显得特别的安静，刚才还在我肚子里翻筋斗，爸爸一摸妈妈的肚皮，你就马上老实了，你怎么跟爸爸那么亲啊？难道就像人说的，亲爸爸的多是女孩儿？其实你是男孩还是女孩我们都喜欢，不过，宝宝可不要偏心哦，要知道妈妈怀着你，可是很辛苦的，宝宝要爸爸妈妈一起爱哦！

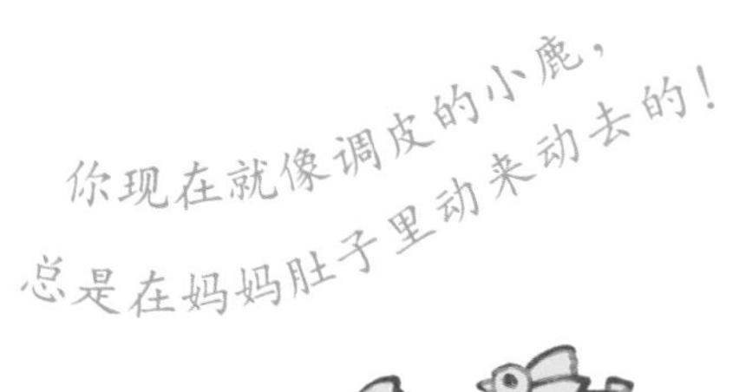

看电影，听音乐：音乐之声

《音乐之声》（The Sound of Music）是一部改编自玛莉亚·冯·崔普真人真事的戏剧作品，最初以音乐剧的形式在百老汇上演，之后被改编成电影。

这部电影讲述了阿尔卑斯山上某处修道院里的一位实习修女到崔普家担任教职，从赢得孩童们的心，到与单身的男主人相爱、结婚并组建家庭乐团，最后又有惊无险地逃离奥地利的故事。

这部电影中的很多歌曲节奏轻松、活泼、充满童趣，如《Do-Re-Mi》。而且这部电影的主题曲《雪绒花》更是奥地利的经典歌曲，已经被翻译成各种语言版本，在世界各地传唱。这些音乐都非常适合孕妈妈和胎宝宝一起听。

斯瑟蒂克的提示

孕妈妈可以先看一遍电影，熟悉故事场景，边听边给胎宝宝讲其中的故事情节，和胎宝宝一起欣赏这个温情的故事。

平时也可以听哦！选择你喜欢的片段，亲自唱给胎宝宝听吧！

妈妈读书时间

祝福

每时每刻，我们都在为我们的宝宝祈福，孩子是上天送给我们最好的礼物，是我们的希望和未来。给宝宝读这首诗吧，在这首诗里，诉说了母亲无尽的爱意。

祝福这颗小小的心灵，这洁白的灵魂，是它为我们的大地赢得了天堂赐予的吻。

他爱阳光，他爱看妈妈的脸。

他没有学会讨厌泥土而渴望黄金。

把他紧抱在你的心中，并祝福他吧！

他已经来到这块歧路纵横的土地上了。

我不知道他是怎么从人群中选中了你，来到你的门前紧握住你的手问路。

他将跟随你，说着，笑着，一点疑心都不曾有。

不负他的信任，引导他向正确的路上走并祝福他。

将你的手按在他的头上，并祈祷：尽管地下的波涛非常凶猛，但是从上面吹来的风会鼓起他的船帆，吹送他抵达安全的港口。

请不要在你的忙碌中把他忘记，让他走进你的心里，并祝福他。

（泰戈尔）

准爸爸的静心导语

孕妈妈做冥想的时候，可以由准爸爸担任语音诱导，在熟悉、低沉的男低音下，你会更容易进入状态。对于腹中的胎宝宝来说，爸爸的声音也许比音乐更容易接受。

在练习冥想的时候，孕妈妈和准爸爸先沟通好，选取合适的诱导词，开始你们的静心之旅吧！

斯瑟蒂克的提示

进行胎教的最大障碍是孕妈妈怀有杂乱、不安、恍惚的心情。准爸爸对保持孕妈妈的平和心态，起的作用是最大的。

妈妈要做一个传声筒，
这样，妈妈就可以和你说些悄悄话了。

闪光卡片：胎宝宝学图形（3）

闭上眼睛，休息10分钟，睁开眼睛，感觉是不是很清爽呢？好了，现在又到胎宝宝学图形的时间了。

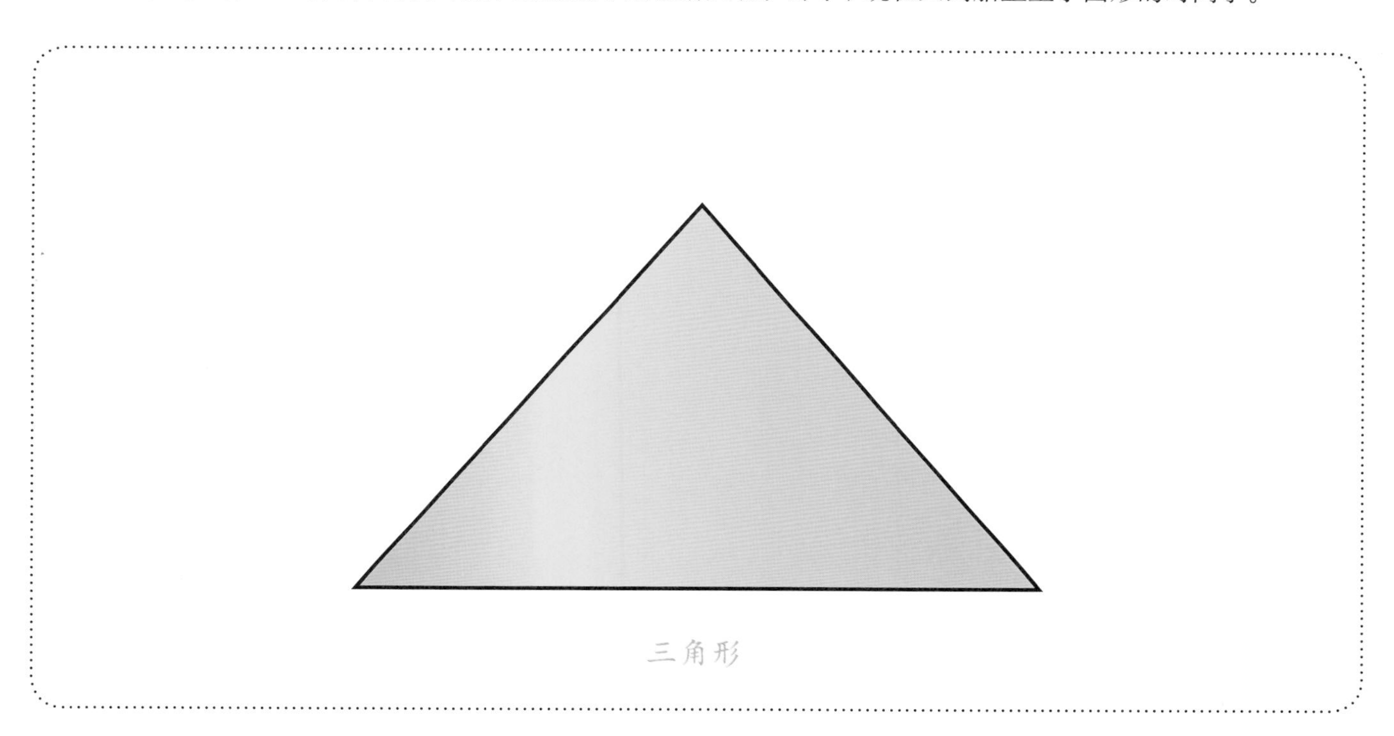

三角形

可以先和胎宝宝说："今天这个图形，和以前的正方形、长方形都不一样，它不是方的，注意看，它是这个样子的。"然后孕妈妈将注意力集中在图形的色彩上，深深地记住图形，再一边用手指临摹图形的边缘，一边告诉胎宝宝："它叫三角形"。

反复正确发音，保持平静的心情和集中注意力，然后闭上眼，用头脑把三角形的形状反复描绘。

孕妈妈告诉胎宝宝："有三条边三个角的图形就是三角形，我们把生活中的三角形找出来看看吧！"

想一想生活中有什么是三角形的呢？

想想看……哦！"晒衣架""三角尺""一块馅饼"……用眼睛在你周围搜索三角形的物品，再在脑海里把想到的物品一一浮现。

斯瑟蒂克的提示

孕妈妈可以给胎宝宝讲由三角形组成的图形：比如五角星，就是由几个三角形组成的；比如菱形，可以切分为几个三角形……帮助胎宝宝去认识生活中更多的包含相同图形的事物。

欣赏名画：向日葵

《向日葵》是荷兰画家文森特·梵高的代表作。孕妈妈看到这幅画是不是精神为之一振，心境豁然开朗呢？

鲜艳明朗的黄色，仿佛法国南部的金色阳光，簇拥在花瓶里的花朵，衬在一片淡柠檬黄的背景上，辐射出天真而充沛的朝气和活力。超出实际比例的标准，给人一种跳脱又奔放的感觉，但是又让人产生温暖的亲切感。

梵高通过向日葵表达对太阳奉若慈母的感情，他自己也说：“向日葵也是感恩的象征。”孕妈妈，此时是不是也感受到其中浓浓的爱意了呢？

闪光卡片：胎宝宝学数字（4）

再和胎宝宝学一个数字吧！胎宝宝正期待孕妈妈带来更多更丰富的知识呢！

和以前一样，孕妈妈看着卡片，把“4”牢牢地记入脑海里，一边摹写字形一边念“4”，重复多次，再启发胎宝宝：“这个4像什么呢？”

在脑海中搜索，“4”像什么呢？“小红旗”“帆船”“栅栏”……

“4”代表多少呢？两双筷子放在一起，是4根；伸出一只手，把大拇指藏起来，是4根手指；五星红旗上，有4颗小星星……

胎教营养餐：南瓜包

原料：

南瓜1个，糯米粉500克，莲藕粉少许，香菇数朵，食用油、碎萝卜干、酱油、糖各适量。

做法：

1. 藕粉加热水拌匀；南瓜去皮蒸熟压碎，加入糯米粉及藕粉，加点油揉匀。
2. 香菇切丝炒香，加碎萝卜干、酱油、糖，炒香放凉当馅备用。
3. 将南瓜糯米团分成20份，每份捏成包子皮状包入适量的馅。
4. 将做好的南瓜包放入蒸笼内蒸，每隔3~4分钟掀一次锅盖，蒸10分钟。

营养提示：南瓜含有丰富的维生素A、维生素C及锌、钾元素，也是叶酸的优质来源，能很好地促进孕妈妈和胎宝宝的健康。

第22周 长指甲喽

报告妈妈：这周的我，眉毛和眼睑都已经充分发育了，可算是有鼻子有眼啦！我的手指上，都长出了指甲！我的耳朵更加灵敏了，你们说话啊，放音乐啊，讲故事啊，我都能听得见了。现在我体重大约有350克，身长已经有20厘米，有这么多本事，厉害吧！

对话胎宝宝：你感觉怎么样

人家都说孕中期是感觉最舒服的阶段，现在妈妈也体会到了，没有刚怀上你的时候那种强烈的不适了，你爸爸还怂恿我利用长假去旅行呢！好像一说到玩，你就在我肚子里兴奋不已，是不是特想看看外面的世界啊？我就知道你特喜欢玩儿！等你出生了，妈妈带你到海边去拾贝壳，好不好？

斯瑟蒂克胎教音乐：土耳其进行曲

听一曲贝多芬的《土耳其进行曲》吧！简单的节奏酝酿出活泼的情绪，朴实中透露出音乐家天生的单纯，孕妈妈和胎宝宝都会受到美好的感染！

贝多芬的《土耳其进行曲》，本曲全称为《土耳其进行曲主题变奏曲》，是一首单独的主题变奏曲。主题简洁而极其节奏化，八分音符均整连贯的节奏，加上用十六分音符来提高活泼感，全曲表现出一种童真般的单纯。像这种快活的节奏，在贝多芬的作品中屡见不鲜。

准爸爸讲百科：为什么花有各种颜色

胎宝宝的听力增强了，更期待准爸爸讲更多的知识了。

今天，就给胎宝宝讲讲花儿的颜色吧！

橙红色、橙黄色和黄色的花，花瓣里含有一种叫做类胡萝卜素的物质。这种类胡萝卜素有60多种，所以含有类胡萝卜素的花也是五颜六色的。

红色、紫色、蓝色的花，花瓣里含有一种叫做花青素的有机色素，会随着环境的温度、酸碱度的变化而变化，遇到酸就变红，遇到碱就变蓝。例如红喇叭花，初开的时候是红色，开败的时候就变成紫色了。杏花含苞的时候是红色，开放以后逐渐变淡，最后几乎变成白色了。

而白色的花，什么色素都没有，看起来是白色的，是因为充满了气泡的缘故。

花朵用自己美丽的颜色吸引蝴蝶、蜜蜂、蜻蜓……靠这些动物传播花粉，繁殖后代。

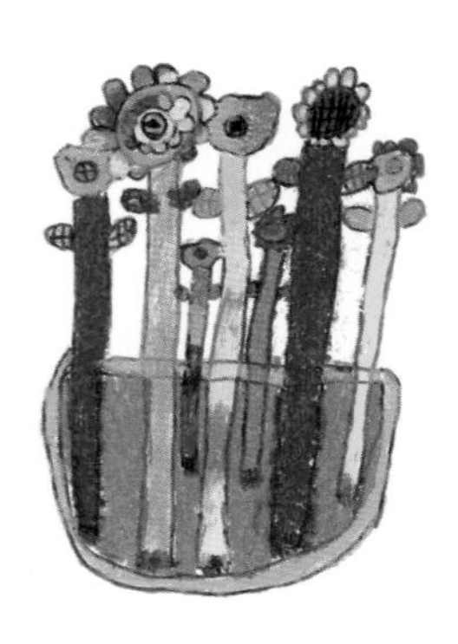

妈妈读书时间

冬日漫步（节选）

在文艺作品里，一样可以体验大自然的造化神奇。下面，就带着胎宝宝一起，体验一下《冬日漫步》吧！

我们睡着了，一觉醒来，正是冬天的早晨。万籁无声，雪厚厚地堆着，窗台上像是铺了温暖的棉花；窗格子显得加宽了，玻璃上结了冰纹，光线暗淡而恬静，更加强了屋内舒适愉快的感觉。早晨的安静，似乎静在骨子里，我们走到窗口，挑了一处没有冰霜封住的地方，眺望田野的景色；可是我们单是走这几步路，脚下的地已经在吱吱作响。窗外一幢幢的房子都是白雪盖顶；屋檐下、篱笆上都累累地挂满了雪条；院子里像石笋似的站了很多雪柱，雪里藏的是什么，我们却看不出来，大树小树从四面八方伸出白色的手臂，指向天空；本来是墙壁篱笆的地方，形状更是奇怪，在昏暗的大地上面，它们向左右延伸，如跳如跃，似乎大自然一夜之间，把田野风景重新设计过，好让人间的画师来临摹。

我们悄悄地拔去了门闩，雪花飘飘，立刻落到屋子里来；走出屋外，寒风迎面扑来，利如刀割。星光已经不这么闪烁光亮，地平线上面笼罩着一层昏昏的铅状的薄雾。东方露出一种奇幻的古铜色的光彩，表示天快要亮了；可是四面的景物，还是模模糊糊，一片幽暗，鬼影幢幢，疑非人间。

大自然在这个季节，显得特别纯洁，这是使我们觉得最为高兴的。残干枯木，苔痕斑斑的石头和栏杆，秋天的落叶，到现在被大雪掩盖，像上面盖了一块干净的毛巾。寒风一吹，无孔不入，一切乌烟瘴气都一扫而空，凡是不能坚贞自守的，都无法抵御。因此凡是在寒冷荒僻的地方（例如在高山之顶），我们所能看得见的东西，都是值得我们尊敬的，因为它们有一种坚强的纯朴的性格——一种清教徒式的坚韧。别的东西都寻求隐蔽保护去了，凡是能卓然独立于寒风之中者，一定是天地灵气之所钟，是自然界骨气的表现，它们具有天神般的勇敢。空气经过洗涤，呼吸进去特别有劲。空气的清明纯洁，甚至用眼睛都能看得出来。我们宁可整天处在户外，不到天黑不回家，我们希望朔风像吹过光秃秃的大树一般地吹彻我们的身体，使得我们更能适应寒冬的气候。我们希望借此能从大自然借来一点纯洁坚定的力量，这种力量对我们一年四季都是有用的。

（梭罗）

斯瑟蒂克的提示

孕妈妈在读这段文字的时候，根据文段中的描写，在脑海里进行细致的想象：

万籁无声的寂静、篱笆上的雪条、石笋似的雪柱、凌厉的寒风、铅状的薄雾、纯净的空气……

让胎宝宝通过你，去感受冬日的纯洁和坚定吧！

闪光卡片：胎宝宝学字母（4）

今天的字母重点在发音。所以在开始胎教之前，孕妈妈要把自己调整到最佳状态。运用第1周学习的让人静心的呼吸法，真的能够提高学习效率呢！

来，和你的宝宝一起开始吧！

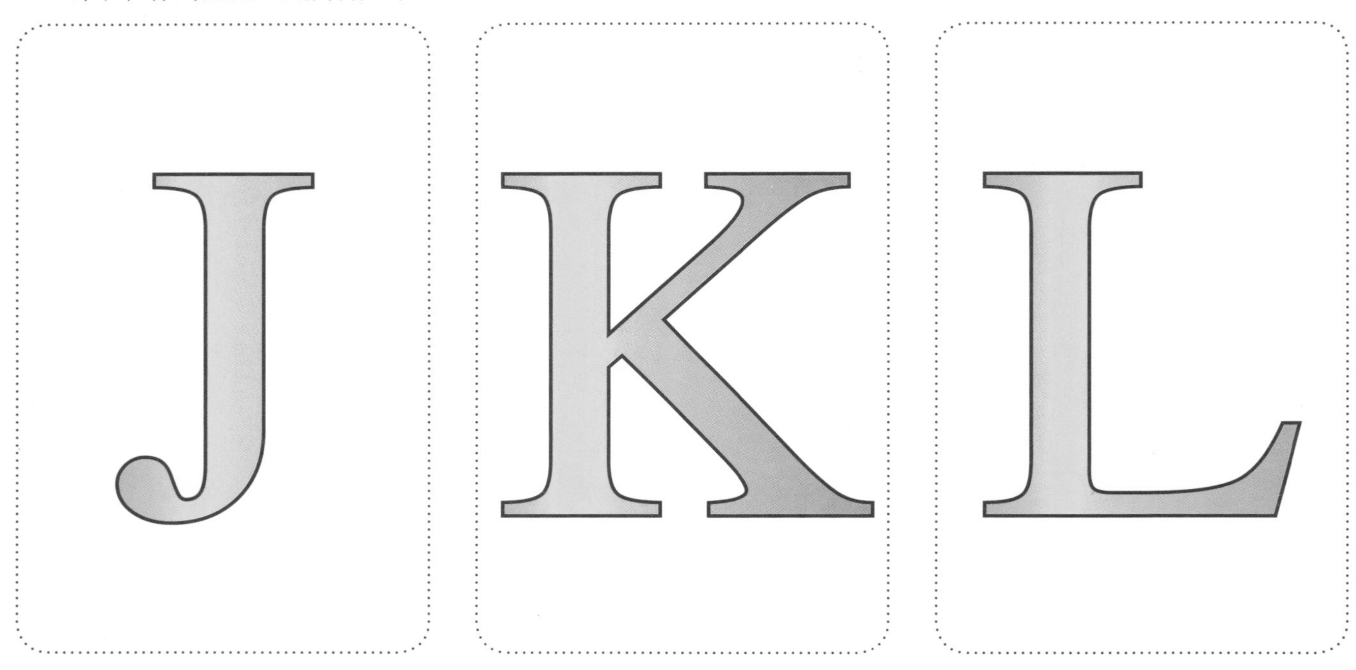

J长得真像钩子呀！“衣帽钩”“鱼钩”“叠好的雨伞”……在家里可没少见到形状相同的物件呢！孕妈妈眼睛看着字母卡片，把注意力集中到色彩鲜艳的区域，用你的眼睛帮助胎宝宝记住这个字母。

K像什么呢？我们倒过来看……好像一把小马扎哟！还像机关枪……记住这个字母外形和发音之后，孕妈妈可以这样展开联想，帮助胎宝宝记住它。

L不但长得像直尺的一角，而且它还有代表长度的意思。孕妈妈仔细找找，像L的事物还有好多呢：“笔”“秋千”“桌角”……

斯瑟蒂克的提示

孕妈妈每想象到一样事物，都要在头脑里细细地展现，让胎宝宝清楚地“看见”。

发音容易出错的字母，如果孕妈妈感觉自己把握不好，可以先向英语老师请教或者播放录音带。

胎教故事袋：我呀，我

胎宝宝听孕妈妈和准爸爸讲过鲜花的美丽，一定很想到花园里去看看吧？现在就给宝宝讲一个发生在花园里的故事吧！

夏日里，花园中百花盛开，黄蝴蝶飞来探望老朋友们。“唉，怎么这的花都换了颜色，换了模样？春天里那些花儿朋友们都哪儿去了？”黄蝴蝶边飞边自言自语。

花园里最活泼的百日红脆脆地说：“黄蝴蝶，春天开放的花儿早就凋谢了，现在所有地方都是和我们一样的夏天的花儿在开着。”

“原来是这样。”黄蝴蝶点了点头。它敛起翅膀，笑眯眯地仔细看了看这些花儿，问道：“你们可真美，你们叫什么名字啊？”

“我叫百日红。”“我叫蔷薇。”“我叫半枝莲。”……花儿们纷纷介绍着自己。

做完了自我介绍，花儿们便缠着黄蝴蝶，央求它给它们讲春天的花儿的故事。于是黄蝴蝶快乐地讲起了春天的花儿。

“要说春天，莲翘花很多很多。它们的花儿非常美，黄灿灿的，比我的翅膀还要黄。风儿一吹，大片大片的莲翘花像金色的波浪一样，好像能流到天边去……”

“金达莱呢，不仅长得漂亮，脾气也最好。它与人也最亲。农民伯伯常常把美丽的金达莱泡在酒里，再放上几片小叶子。听说那能给别人带来好处呢！还有……”

黄蝴蝶越讲越精彩，花儿们也越来越爱听。“哦，讲了这么长时间，还真有点渴了，能让我吸一点花蜜吗？”

百日红抢着说：“黄蝴蝶，来吸我的蜜吧！”

半枝莲也悄声说：“黄蝴蝶，来吸我的蜜吧！”

黄蝴蝶舞动着美丽的大翅膀，微笑着环绕它们飞舞。随后，它落到身边一朵朵漂亮的花上，吸了好些花蜜，小腿上沾的花粉也随着它的飞舞落到了另一些花的花蕊中。花儿们于是互相亲吻着，一边孕育更加美好的种子，一边想：“如果我凋谢了，又有哪朵花儿继续开放呢？”“那些继续开放的花儿会像今天我听到的花儿的故事一样，也有一天听到我的故事吗？”

你的存在，让妈妈的心情，
如百花盛开般灿烂！

斯瑟蒂克的提示

孕妈妈可以查找植物科普书或者请教园丁以及花店的工作人员，了解百日红、蔷薇、半枝莲、莲翘花、金达莱等各种花的样子和特点，给胎宝宝讲讲故事中出现过的花朵。孕妈妈也可以讲自己熟悉的花。

闪光卡片：胎宝宝学图形(4)

现在的孕妈妈，看到有弧度的东西，是不是都有一种亲切感呢？一起来和胎宝宝学习这个对你们都很有意义的图形吧！

今天我们要学的是圆形。

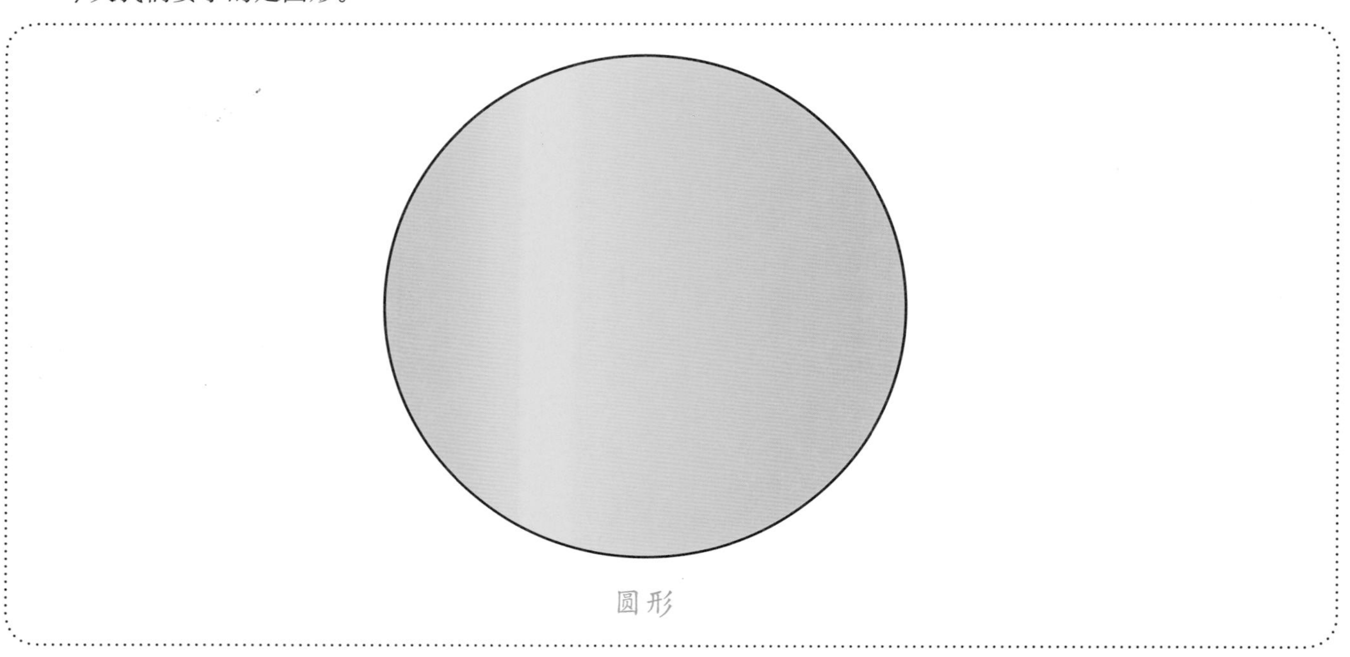
圆形

把这个图形的色彩牢牢记住，放入心底。一边用手指沿图形描画一边重复："这个是圆形。"

注意视线在卡片上的停留时间，充分将图形视觉化后，你肚子里面的胎宝宝才能"看到"。

知道这个是圆形之后，和以前一样，和胎宝宝一起开始"寻找之旅"吧！

"哦，看这个杯子，杯口、杯底、杯盖、杯手柄、连杯子的肚子也是圆圆的呢！"

户外也有好多发现呢，"太阳公公""树叶""花瓣""小瓢虫""车轮""井盖"……我们周围的圆形好多好多呢！

斯瑟蒂克的提示

不要忘记告诉胎宝宝：妈妈的肚子也是圆圆的，里面有个小小的宝贝。

第23周 皱皱的小老头

报告妈妈：妈妈，这周我的视网膜形成了，开始有微弱的视觉了，恒牙的牙胚也开始发育了，妈妈记得及时补钙，将来我会长出一口好牙！虽然现在我的嘴唇、眉毛和眼睫毛都清晰可见了，但是却像个皱巴巴的小老头！皮肤红红的，褶皱也好多，这是为了给皮下脂肪留出生长余地。

对话胎宝宝：你喜欢现在的“家”吗

我把你的动静告诉你爸爸，你爸爸说你这么爱动是因为你在“房子”里住得很舒服，兴奋得手舞足蹈。“手舞足蹈”！亏得他想到这个词，这就是我的真实感受啊！我可真羡慕你呀，想什么时候翻筋斗都成，根本不用考虑白天黑夜。妈妈的肚子就是你的乾坤袋，你就在里边好好地长吧！

妈妈读书时间

对岸

下面这首诗，是不是让你想起了自己的童年时代呢！

我渴想到河的对岸去。

在那边，好些船只一行儿系在竹杆上；

人们在早晨乘船渡到那边去，肩上扛着犁头，去耕耘他们远处的田；

在那边，牧人使他们鸣叫着的牛游到河旁的牧场去；

黄昏的时候，他们都回家了，只留下豺狼在这长满野草的岛上哀叫。

妈妈，如果你不在意，我长大的时候，要做这渡船的船夫。

据说有好些古怪的池塘藏在这个高岸之后。

雨过去了，一群一群的野鹜飞到那里去，茂盛的芦苇在岸边四围生长，水鸟在那里生蛋；

竹鸡带着跳舞的尾巴，将它们细小的足印印在洁净的软泥上；

黄昏的时候，长草顶着白花，邀月光在长草的波浪上浮游。

妈妈，如果你不在意，我长大的时候，要做这渡船的船夫。

我要自此岸至彼岸，渡过来，渡过去，所有村中正在那儿沐浴的男孩女孩，都要诧异地望着我。

太阳升到中天，早晨变为正午了，我将跑到你那里去，说道：“妈妈，我饿了！”

一天完了，影子俯伏在树底下，我便要在黄昏中回家来。

我将永不同爸爸那样，离开你到城里去做事。

妈妈，如果你不在意，我长大的时候，要做这渡船的船夫。

（泰戈尔）

斯瑟蒂克的提示

这是一首优美的田园颂歌。孕妈妈读完之后想象诗中的场景，再慢慢讲述给胎宝宝听。

妈妈唱儿歌：粉刷匠

有点闷了？来给胎宝宝唱一支《粉刷匠》吧！让胎宝宝和你重温小时候的乐趣！

我是一个粉刷匠，
粉刷本领强
我要把那新房子，
刷得更漂亮
刷了房顶又刷墙，
刷子飞舞忙
哎呀我的小鼻子，
变呀变了样

准爸爸讲百科：了不起的帝企鹅

自然界中抚育后代的任务，也有由雄性来完成的呢！帝企鹅就是这样一种生物。这到底是怎么回事呢？准爸爸来为胎宝宝揭示这个神奇现象吧！

帝企鹅是企鹅家族中个头最大的种类，它们的独特之处不但在于绅士般的外表，更重要的是，孵化企鹅宝宝的任务是由企鹅爸爸来完成的。

当企鹅妈妈产下一枚企鹅蛋之后，就到海里找食物去了，企鹅爸爸把蛋拨弄到双脚脚背上，站立着孵蛋，一直不吃不喝地站上60多天，直到小企鹅出生，企鹅妈妈从海里回来，自己再到海里找食。

在孵蛋和照料小企鹅的3个月之中，企鹅爸爸的体重要减少将近一半。不但如此，企鹅爸爸还要经受饥饿、严寒、自然灾害、天敌等种种考验。

斯瑟蒂克的提示

准爸爸在讲这个故事的时候，孕妈妈在脑海里联想企鹅的形象和南极的自然条件。

讲完这个故事，孕妈妈可以给胎宝宝讲讲自己的感受，让胎宝宝知道爸爸也是很爱他的。

宝宝，以后的日子无论怎样，
爸爸妈妈都会努力为你撑起那片天！

闪光卡片：胎宝宝学字母（5）

孕妈妈先给胎宝宝哼首歌曲吧！让熟悉的歌曲帮你开始今天的胎教。

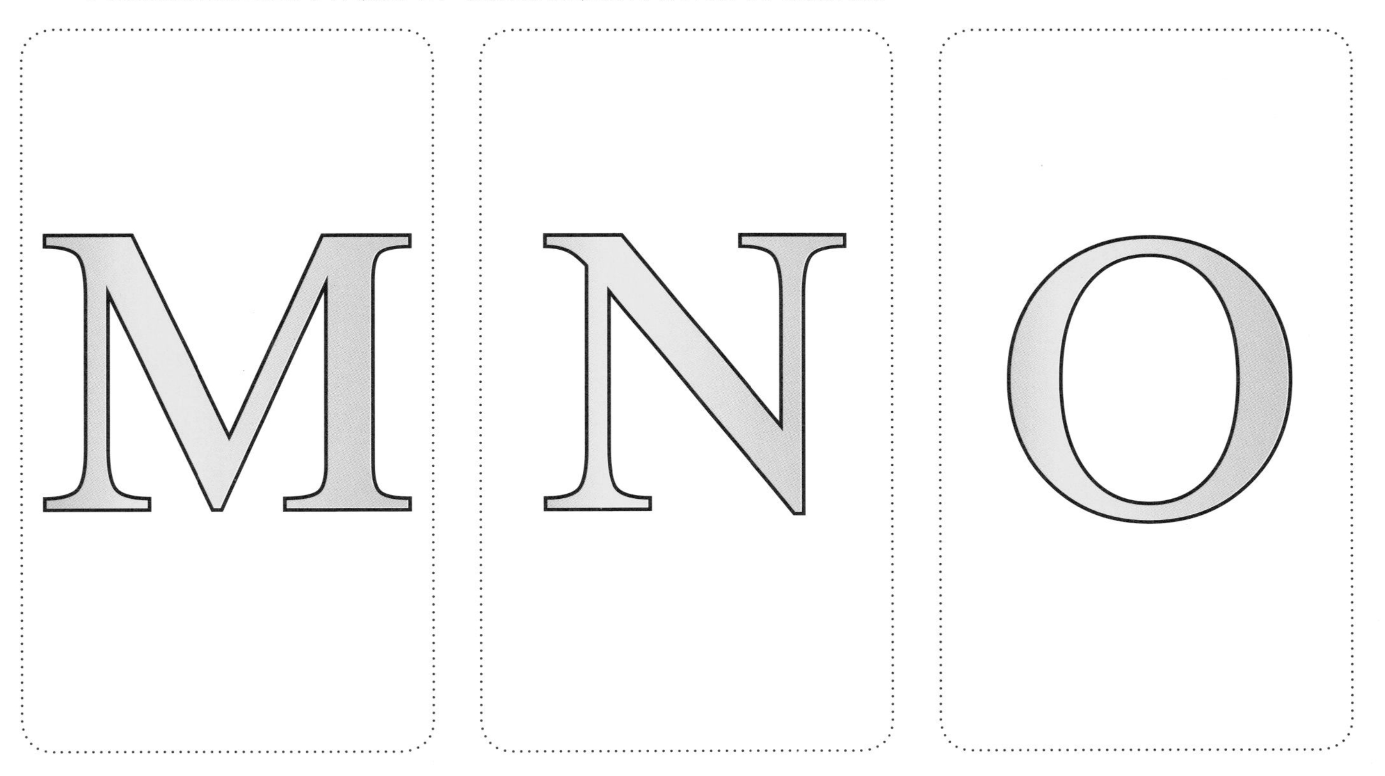

M像什么？“折扇”“远方的山峦”“并列放在一起的筷子”……孕妈妈把这个字母视觉化的时候，用手指在卡片上描这个字母，心里暗暗记住它的曲折变化：一竖，一折，又是一折……重复多次之后，用准确的发音读出它。

N虽然笔划少点，但是孕妈妈同样要用心去记住它的外形。那么“N”又像什么呢？孕妈妈和胎宝宝一起想想，“齿轮”“闪电”“单开门”……

O就像一个小圆圈，躲在生活中许多角落里，让胎宝宝和妈妈一起把它找出来吧！记这个图形的时候，孕妈妈还可以提醒胎宝宝：“这个像不像我们学过的圆形呢？不过，这可不是圆形，注意看，它们是有区别的！”

闪光卡片：胎宝宝学数字（5）

孕妈妈开始胎教之前，适当鼓励下胎宝宝，这样会提高宝宝学习的效率！今天要学习数字“5”。

孕妈妈把卡片拿在手里，问胎宝宝：“这个数字像什么呢？”

孕妈妈可以将家里能找到的相关物品找出来，用手感受它们，并告诉胎宝宝，这和今天学的新数字有什么相似之处。

斯瑟蒂克的提示

孕妈妈可以利用生活中的实物，和胎宝宝一起数一数，帮助胎宝宝理解“5”这个数的含义。

胎教营养餐：铁板烤牛肉

原料：

牛肉250克，香菜50克，葱、姜、蒜末、酱油、盐、香油、植物油各适量 。

做法：

1. 牛肉去筋切成薄片，加姜、蒜末、酱油、香油、盐拌匀，腌30分钟。

2. 葱去皮、去根，切成滚刀斜片，香菜择洗干净后切成寸段。

3. 铁板上火加油烧热，放入腌好的肉片，煸炒至肉、葱稍干，加入香菜段稍加煸炒，淋入香油即成。

营养提示：牛肉含有丰富的维生素 B_6 和多种矿物质，可帮助孕妈妈增强免疫力，促进蛋白质的新陈代谢。

第24周 可以漂浮啦

报告妈妈：这周我的听力系统和呼吸系统都在持续发展，能听到外界更多的动静了。我每天都要吞进好多的羊水，我的整个身体漂浮在妈妈的子宫里，好像一只小船，妈妈就是我温暖的港湾。现在的我大约已有600克。

对话胎宝宝：你寂寞吗

宝宝，你一个人待在妈妈的肚子里，有的时候是不是也想找个伴儿陪你玩呀？妈妈给你讲那么多的故事，你是不是也想找个人和你一起分享啊？别着急，所有小朋友都得先在妈妈肚子里待上这么一段时间，等他们出生之后，就可以手牵手在阳光下一起玩游戏，一起唱歌，一起捉迷藏了，现在就先由妈妈陪伴你吧！

斯瑟蒂克胎教音乐：摇篮曲

勃拉姆斯创作的这首小提琴独奏曲，原本是一首通俗歌曲。原曲的歌词为“安睡吧，小宝贝，夜色已低垂，床头满插玫瑰，陪伴你入睡。快安睡小宝贝，一直睡到天明，快安睡小宝贝，一直睡到天明。”

恬静、优美的旋律本身就是一首抒情诗，仿佛是妈妈轻拍着宝宝哄他入睡。

斯瑟蒂克的提示

在休息期间给胎宝宝放这首曲子，有助于安抚胎宝宝，以及帮他在出生之后养成良好的睡眠习惯。

准爸爸讲百科：星星为什么不会掉下来

调皮的小星星，在黑夜的天幕里眨着眼睛，它们为什么不会掉下来呢？准爸爸给胎宝宝说说这是怎么回事吧！

我们所在的地球，是一颗星星，看到的太阳、月亮，也是星星，和天上所有的星星一样，漂浮在宇宙里，所有的星星相互吸引着，同时也在不停地自转着，自转产生远离轨道的离心力，万有引力则产生反方向的拉力，这两种力维持着一种相对的平衡，所以在地球上看到别的星星，和我们保持着相当的距离，不会掉下来。

斯瑟蒂克的提示

准爸爸可以用手旋转绑着绳子的小橡皮，一边旋转一边告诉胎宝宝：“旋转着的橡皮和手保持距离是因为离心力的作用，如果把绳子剪断，破坏了离心力，橡皮就会弹到手上，这就是万有引力的作用。”

孕妈妈要充分理解准爸爸的话和演示，将其视觉化后传递给胎宝宝。

闪光卡片：胎宝宝学图形（5）

给阳台上的绿植浇浇水，找个最舒服的姿势坐下来，和胎宝宝打个招呼："宝宝，今天我们要学一个怪怪的图形。怎么怪呢？一起来看看。"

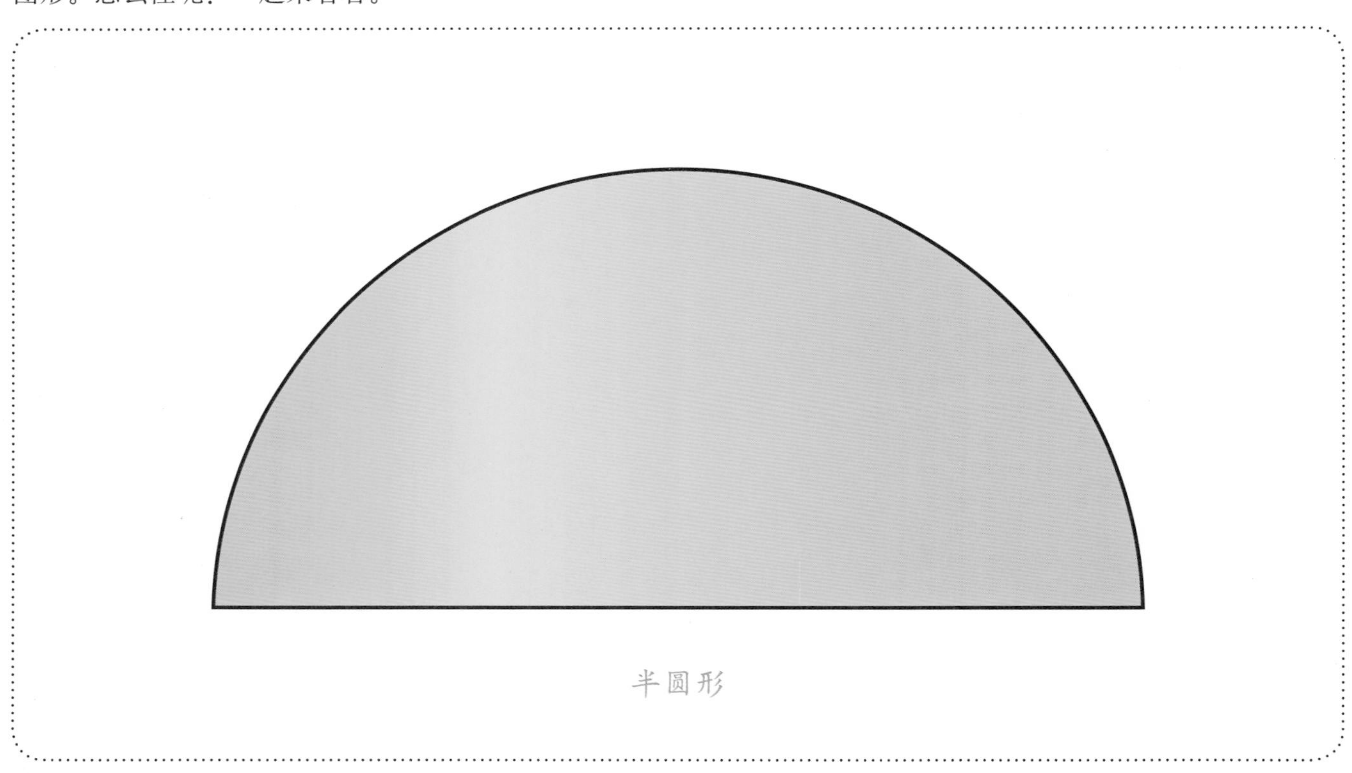

半圆形

孕妈妈专注于卡片上的颜色区域，用心把这个图形记住，再变换卡片的位置，每次转换卡片的摆放后都专心注视一会，然后告诉胎宝宝："这个图形叫做半圆。"

孕妈妈一边用手指描绘这个图形，一边重复图形的名称。之后启示胎宝宝："宝宝，这个图形让你想起什么了？好好想想……哦，想到了，叫什么呢？……啊！原来是圆形！"

"想想看，平时我们见到的什么东西，是半圆的形状呢？"

"量角器""半张饼""半个月亮"……好多好多呢，还可以把圆形对折，就可以得到一个半圆啦！

胎教故事袋：长着蓝翅膀的老师

“长翅膀的老师”，这样的故事孕妈妈也没有听过吧？这么有趣的故事，孕妈妈快讲给胎宝宝听吧！

小雏菊幼儿园里来了个会飞的老师。

园长奶奶急坏了。幼儿园已经够乱的了，小家伙们满地爬，桌子椅子四处跑，再来一个长翅膀的老师，怎么办？

孩子们可高兴了。他们不吵不闹，睁大眼睛奇怪地看着新老师，一对蓝翅膀叠放在她的背上呢！

“你们喜欢我的翅膀吗？”

老师说着，慢慢地张开那对天蓝色的翅膀。翅膀轻轻地扇起一阵温柔的风，教室里一下子就充满了透明的五色之光。

“真美呀！”孩子们说。

“你们想飞吗？”老师问。

“想啊。可是我们没有翅膀呀！”

“所有的孩子都是有翅膀的，只要想飞就能飞。”老师说。

“真的吗？”

“真的！飞吧，飞吧！”

孩子们背上果然扑扇着五颜六色的翅膀，一个接一个紧跟着蓝翅膀老师飞出了教室，飞向广阔、神奇、美丽的天空。

园长奶奶吓坏了，追着孩子们喊：“快下来！快下来！”孩子们飞得正高兴，才不会下来呢！

孩子们飞着飞着，一棵大树热情地招手：“孩子们，到我的树上来做窝吧！”

老师领着孩子们齐刷刷地落到树上，为树爷爷唱了一支好听的歌，唱得树爷爷哈哈笑。

从这以后，小雏菊幼儿园的孩子经常飞。他们有时飞得近，有时飞得远。他们认识了大地上的城市、河流和山脉，还同天空中的白云、小鸟交上了朋友。

斯瑟蒂克的提示

这是一个充满童趣的故事，孕妈妈给胎宝宝讲这个故事的时候，一边讲一边想象故事中的神奇：

蓝翅膀老师打开翅膀扇起的柔风、翅膀折射的美丽颜色、孩子们跟随老师飞起来之后看到的、听到的、遇见的奇妙事情……

通过丰富细致的想象，让胎宝宝和孕妈妈一起体验自由飞翔带来的新奇和快乐。

孕妈妈可以结合故事，给胎宝宝讲故事中的孩子飞到胎宝宝家附近会看见什么，把自己和故事结合起来。这样更为有趣。

踢肚子游戏开始了

长到5个月之后的胎宝宝，老在孕妈妈肚子里左一拳右一脚的，正好利用这个好动的时期开展“踢肚子游戏”。

当感觉胎宝宝踢肚子时，孕妈妈可以轻轻拍打被踢的部位几下，一般过了一两分钟，胎宝宝会再次踢肚子，这次孕妈妈轻拍肚皮的位置改变的话，胎宝宝会在你改变的地方再踢，特别有趣！

斯瑟蒂克的提示

孕妈妈改拍的位置不要离原先胎宝宝踢肚子的位置太远。这种游戏可每天进行2次，每次3~5分钟。

闪光卡片：胎宝宝学数字（6）

今天要学习数字“6”了。

孕妈妈把这个数字深深地记在心里，用手指去熟悉它的笔画，轻声念出这个数字的发音。

想想看有什么和“6”长得像呢？“口哨”“豆芽”“梨子”“樱桃”……

最常见的“6”是什么呢？吉他又叫“六弦琴”，三个人有“6只眼睛”“6只耳朵”“6只手”“6只脚”，一个方积木有“6面”……

胎教营养餐：豆豉牛肉片

原料：

牛里脊肉400克，芹菜心150克，清汤半碗，鸡蛋清2份，豆豉、植物油、姜末、酱油、水淀粉、香油、淀粉、盐各适量。

做法：

1. 牛里脊肉洗净剔去老筋，切薄片放碗中，加盐、鸡蛋清、淀粉拌匀；芹菜心洗净，切成3厘米长的段。

2. 炒锅置大火上，倒入植物油烧至五成热，下牛肉片滑散至刚熟，倒入漏勺沥去油。

3. 原锅复置大火上，放入豆豉、姜末略煸片刻，再倒入芹菜略炒，下清汤、酱油，投入牛肉片，用水淀粉勾芡，淋入香油迅速炒匀即成。

营养提示：牛肉中氨基酸组成比猪肉更接近人体需要，特别适宜人体补血、修复组织的需要。

第25周 “花样”胎动

报告妈妈：这周我身体上长出了一层细细的绒毛，我的皮肤又薄又皱，几乎没有皮下脂肪，我的身材现在比较匀称，个头开始占满妈妈的子宫。除了舌头上的味蕾正在形成以外，我的大脑体积也在不断增大，大脑发育将进入一个高峰期。妈妈记得多吃补脑的东西哦！

对话胎宝宝：这是你的小手吗

今天在路上遇见一个也要做妈妈的阿姨，妈妈和她聊了一会儿，她说她的宝宝在肚子里动的时候，能在肚皮上看见一个鼓包。我就想啊，什么时候我能像她一样呢？现在我能根据你的动作猜测你是在伸手还是在蹬腿儿，不过要是能看到我的宝宝在我的肚皮上弄出的小小的鼓包，那是多么有趣啊！

准爸爸和胎宝宝“捉迷藏”

不单是孕妈妈，准爸爸也可以和胎宝宝开展“踢肚子”游戏。

当孕妈妈感觉胎动的时候，准爸爸可以轻拍胎宝宝刚刚“踢”过的肚皮，告诉胎宝宝：“宝宝，我是爸爸。”过一会儿胎宝宝又踢肚子了，准爸爸可以换个方位回应，胎宝宝就会遵循准爸爸的轻拍来“踢肚子”。

准爸爸和胎宝宝玩一会儿之后，可以由孕妈妈上场：“宝宝，我是妈妈。”跟捉迷藏似的。你们可能会发现，换个人和胎宝宝玩，胎宝宝反应是不一样的！

斯瑟蒂克的提示

这首歌推荐孕妈妈、准爸爸一起来唱，一边唱一边做动作。

妈妈唱儿歌：幸福拍手歌

孕妈妈，给爱动的胎宝宝唱首幸福拍手歌吧！

如果感到幸福你就拍拍手，如果感到幸福你就拍拍手，如果感到幸福就快快拍拍手呀，看哪大家一齐拍拍手。

如果感到幸福你就跺跺脚，如果感到幸福你就跺跺脚，如果感到幸福就快快跺跺脚呀，看哪大家一齐跺跺脚。

如果感到幸福你就伸伸腰，如果感到幸福你就伸伸腰，如果感到幸福就快快伸伸腰呀，看哪大家一齐伸伸腰。

如果感到幸福你就挤挤眼儿，如果感到幸福你就挤挤眼儿，如果感到幸福就快快挤挤眼儿呀，看哪大家一齐挤挤眼儿。

如果感到幸福你就拍拍肩，如果感到幸福你就拍拍肩，如果感到幸福就快快拍拍肩呀，看哪大家一齐拍拍肩。

妈妈读书时间

舞吧，舞吧，我的玩偶

我们小的时候，总是希望玩具能活起来，哪怕是在我们睡着的时候，看看200多年前的安徒生爷爷是怎么设想那时候的玩具总动员的吧！

“是的，这就是一支唱给顶小的孩子听的歌！”玛勒姑妈肯定地说，“尽管我不反对它，我却不懂这套‘舞吧，舞吧，我的玩偶’的意思！”

但是小小的爱美莉却懂得。她只有三岁，她跟玩偶一道玩耍，而且把它们教养得跟玛勒姑妈一样聪明。

有一个学生常常到她家里来；他教她的哥哥做功课。他和小爱美莉和她的玩偶讲了许多话，而且讲得跟所有的人都不同。这位小姑娘觉得他非常好玩，虽然姑妈说过他不懂得应该怎样跟孩子讲话——小小的头脑是装不进那么多的闲聊的。但是小爱美莉的头脑可装得进。

她甚至把学生教给她的这支歌全部记住了：“舞吧，舞吧，我的玩偶！”她还把它唱给她的三个玩偶听呢——两个是新的：一个是男孩，一个是女孩；第三个是旧的，名叫丽莎。她也听这支歌，甚至她就在歌里面呢。

舞吧，舞吧，我的玩偶！
嗨，姑娘正是美的时候！
年轻绅士也是同样美好，
戴着礼帽，也戴着手套，
穿着白裤子和蓝色短袄，
大脚趾上长一个鸡眼包。
他和她正是在美的时候。
舞吧，舞吧，我的玩偶！
这儿是年老的妈妈丽莎！
从去年起她就来到这家；
她的头发换上新的亚麻，
她的脸用黄油擦了几下：
她又美得像年轻的时候，
请过来吧，我的老朋友！
请你们三个人旋舞几圈。
看一看这光景就很值钱。
舞吧，舞吧，我的玩偶！
步子必须跳得合乎节奏！
伸出一只脚，请你站好，
样子要显得可爱和苗条！
一弯，一扭，向后一转，
这就使你变得非常康健！
这个样儿真是极端美丽。
你们三个人全都很甜蜜！

玩偶们都懂得这支歌，小爱美莉也懂得。学生也懂得——因为这支歌是他自己编的。他还说这支歌真是好极了。只有玛勒姑妈不懂得。不过她已经跳过了儿童时代的这道栅栏。

“一支无聊的歌！”她说。小爱美莉可不认为是这样。她唱着这支歌。

我们就是从她那里听来的。

（安徒生）

斯瑟蒂克的提示

读完这段文字，孕妈妈给胎宝宝讲故事里的三个小玩偶是什么样子的，在脑海里想象它们的模样，也可以动手画下来，并且给它们涂上颜色，这样更能加深故事内容的视觉化。

闪光卡片：胎宝宝学字母（6）

又到了学字母的时间了，胎宝宝刚才是不是还闹腾不止呢？孕妈妈给胎宝宝唱支歌吧！耐心等待胎宝宝安静下来，千万别着急！

P颠倒过来，就是小写的“d”了，孕妈妈还可以让胎宝宝认识“p”与“b”和“d”的发音和字形的区别。胎宝宝学字母的时候，“看”和“听”是一样重要的，孕妈妈在看和读字母的同时，还要记得手指头动动——按卡片上的字母多描几遍。

Q不但像“一枚果子”，还像“气球”、像“顶着粮食的小蚂蚁”……这个字母里还包含以前学过的字母“O”呢！

R这个字母最简单的记忆方式就是“P”又多了一画。它像不像“一个昂首挺胸的士兵正迈步前进”？又像“一个扳机开关”，还像“一个支撑架上放着一个花盆”……

斯瑟蒂克的提示

学习完毕，孕妈妈告诉胎宝宝：“今天学的3个字母，原来都包含有‘圆形’在里面！”

艺术欣赏：瓷器

精美的艺术品都可以作为胎教的内容，今天我们就一起来欣赏一套漂亮的瓷碗。

中国陶瓷不但是中国文明的象征，更是中国传统审美观的典型代表。这套瓷碗造型美观，色彩艳丽，具有很高的观赏价值。

而它最具特色的地方在于一套七个碗大小不一，造型却是一模一样，可以逐一叠套在一起。这与俄罗斯很具代表性的工艺品“套娃”有异曲同工之妙，却更具实用价值。

经常观赏和使用这样的器具，会给腹中的胎宝宝带来很好的艺术熏陶。

闪光卡片：胎宝宝学图形（6）

换一个自己感到舒服的姿势，用以前学过的呼吸法让自己放松到最佳状态。

今天要学的是扇形。

手指除了临摹卡片上的扇形外，孕妈妈还可以用笔画出各种扇形，并将它们视觉化后传给胎宝宝。

和扇形最相似的就是扇子了，那么除了扇子，还有什么是扇形的呢？“一枚贝壳”“一片银杏叶”“一瓣花瓣”……

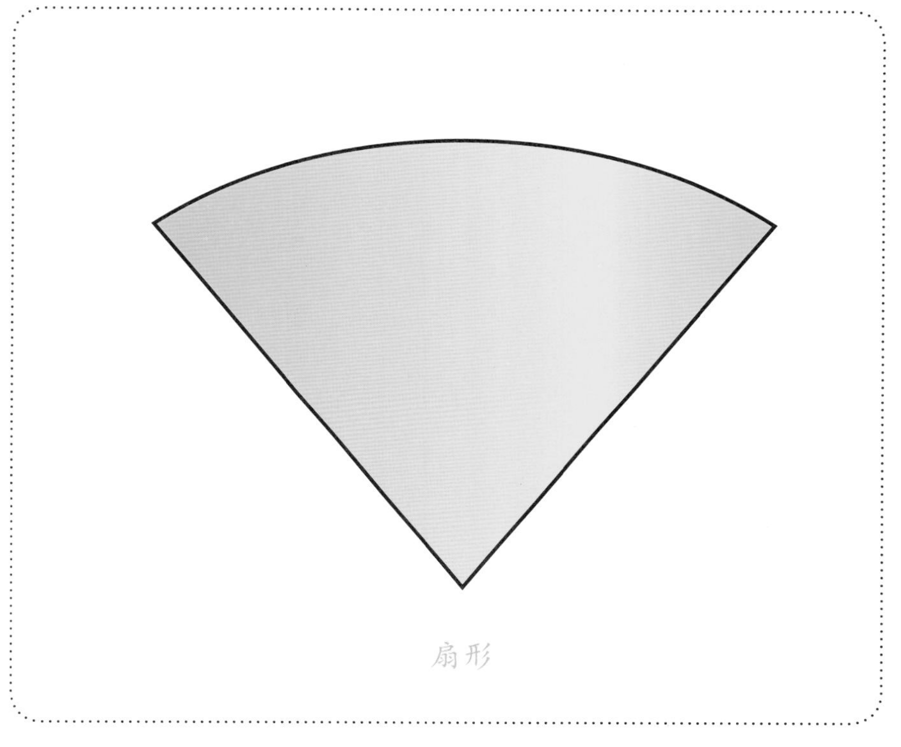
扇形

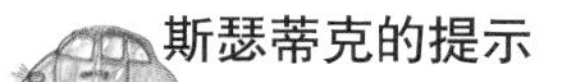

斯瑟蒂克的提示

孕妈妈可以用积木演示：三角形加半圆，就是一个扇形。

胎教营养餐：清蒸鲈鱼

原料：

鲈鱼1条（500~600克），笋片30克，香菇 、香菜各少许， 姜丝、葱丝、盐、酱油各适量。

做法：

1. 鲈鱼去除内脏，收拾干净后擦干，放入蒸盘中。
2. 笋片切丝，码在鱼身上；香菇用温水泡发，去蒂切片，码在鱼身周围处。
3. 姜丝、葱丝放入鱼盘中，倒入盐、酱油；香菜择洗干净，切段备用。
4. 蒸锅内放水烧开，放入鱼盘，大火蒸8~10分钟，鱼熟后立即取出，饰以香菜段。

营养提示：孕妈妈多吃鱼，胎宝宝会更聪明。鲈鱼还能辅助缓解胎动不安。

第26周 大脑快速发育中

报告妈妈：这周的我和上周的我外形上看起来没有太大差别，依然是覆盖着一层细细的绒毛。眼睛已能够睁开，还有了呼吸动作！体重在800克左右。

对话胎宝宝：妈妈漂亮吗

宝宝你知道吗？有了你之后，妈妈自己感觉比怀孕之前要好看不少呢！连你爸爸也这样说。而且周围的人也都说我怀了一个漂亮宝宝，还没有出生，就把漂亮传染给妈妈了！

妈妈唱儿歌：蜗牛和黄鹂鸟

都说蜗牛很慢很慢，到底有多慢？孕妈妈给胎宝宝唱首儿歌吧！唱完，胎宝宝就知道了。

阿门阿前一棵葡萄树
阿嫩阿嫩绿地刚发芽
蜗牛背著那重重的壳呀
一步一步地往上爬
阿树阿上两只黄鹂鸟
阿嘻阿嘻哈哈在笑它
葡萄成熟还早地很哪
现在上来干什么
阿黄阿黄鹂儿不要笑
等我爬上它就成熟了

斯瑟蒂克的提示

唱这首歌的时候，孕妈妈想象一只背着壳的蜗牛慢慢地爬一棵葡萄树，黄鹂鸟嘻笑蜗牛，蜗牛执着地回答的场景。

妈妈读书时间

蝴蝶

下面这首小诗的作者是乌拉圭著名女诗人胡安娜·伊瓦沃罗。全诗充满童趣，天真淳朴，让人不禁沉浸在童年的回忆里，那些很荒唐的梦想，很滑稽的行为……让人忍俊不禁，准妈妈可以把自己的童年故事讲给胎宝宝听，既放松了自己的心情，又增加了他对妈妈的了解。

一只黄色的小蝴蝶飞来，围着灯焰飞舞。它盘旋得那么疯狂，它的圆圈儿画得那么急促，那么连续不断！你从哪里来小蝴蝶？难道你来自那片飒飒作响的树林？我小时候曾陶醉地、无所畏惧地在那里疯跑。也许你喝过那个小湖里的一滴水，小湖的四周镶嵌着柳丝和灯心草，它就在我说的那片树林附近。难道你在一棵马鞭草上睡过一夜，你认识许多条路吗？见过麦田吗？曾停在许多树叶上眺望吗？那落满你身上的黄尘是慈姑、野慈姑的花粉吗？噢，小蝴蝶，我敢说，你的翅膀散发着田野的气息！

（胡安娜·伊瓦沃罗）

准爸爸讲百科：为什么树叶秋天会变色

为什么夏天绿油油的叶子到了秋天就变成红彤彤或者黄灿灿的呢？准爸爸，给好学的胎宝宝讲讲其中的道理吧！

树叶中含有的叶绿素使叶子呈现出绿色。其实，绿色的叶子中不但含有叶绿素，同时也含有叶黄素和胡萝卜素等许多色素，不过其他色素的含量都很少，所以我们看到的树叶就是绿色的。

叶绿素是一种很容易受温度改变而分解的物质，而叶黄素、胡萝卜素等则较稳定。到了秋天，树叶中的叶绿素因为降温而分解，绿色退去，叶黄素、胡萝卜素便露了出来，我们看到的叶子就呈现出黄色或者红色了。

斯瑟蒂克的提示

准爸爸讲这则百科知识的时候，可以配合树叶实物或者卡片、相片等，方便孕妈妈观看，将其视觉化之后，胎宝宝更易于接受。

多一份累，就会多一份幸福，关于这一点，妈妈一直坚信！

胎教营养餐：双鲜拌金针菇

原料：

金针菇150克，鲜鱿鱼200克，熟鸡脯肉200克，姜片、盐、高汤、香油各适量。

做法：

1. 金针菇入沸水锅中焯30秒，捞出沥干装碗。
2. 鲜鱿鱼去净外膜，切成3厘米长的细丝，加姜片一并下沸水锅，焯至熟透捞起，拣去姜片后放入金针菇碗内。
3. 熟鸡脯肉切成3厘米长的细丝，下沸水锅焯30秒后捞出沥干，放入金针菇碗内。
4. 碗中加高汤、盐、香油拌匀，装盘即成。

营养提示：金针菇有低热量、高蛋白、低脂肪、多种维生素的特点，可以促进智力发育。

闪光卡片：胎宝宝学字母（7）

孕妈妈调整好状态，又要开始学习了。

S像“一条弯弯的小河”，还有“毛线球”“钩子”“小虫子”……

T像“衣帽架”，又像“罗马柱”，还像“两扇门中间的合缝”“钉子”……

U是不是很像一个“大水缸”呢？再找找，原来“椅子靠背”“沙发扶手”“花篮提手”都能找到 U 的影子呢！

V像不像一个“小漏斗”？还像什么呢？

胎教故事袋：我是谁的小小猫

相似的不一定是外貌，相同的却是爱子之心。通过这个故事，告诉我们的胎宝宝，妈妈有多么爱他们吧！

猫妈妈阿黄生了五只小猫，其中四只是黄猫，和他们的妈妈一样。只有一只身上有黄色和黑色的斑纹，阿黄给他取名叫花花。

“你们生在猫科家族，应该感到自豪，我们是个大家族，连狮子老虎都是我们家族的成员呢。”

阿黄常常这样和它的孩子们说。花花听了这些话，心想，那些“大猫”——狮子、老虎多了不起啊，我要是像它们一样该多好啊。它看了看自己身上的花纹，越看越觉得自己不同凡响。于是，它对阿黄说：“你不是我的妈妈，我长得和你不一样，和其他小猫也不一样，我是谁的小小猫呢？”

“你当然是我的小猫啦！”阿黄说，“我是你的妈妈，其他的小猫是你的兄弟姐妹。”可是花花不相信。“也许我妈妈是一头狮子，我要是跟在它身边，它会带我一起捕羚羊。”花花自言自语，“也许我的妈妈是一只老虎，我要是在它身边，它一定会带我在森林里游玩。”花花又说，“不行，我要去找我的亲妈妈。”花花想到这里，觉得自己一刻也不想呆在这里了。

于是，花花悄悄离开了家，去找她的“亲”妈妈。它轻手轻脚地走在大街上。突然，一只大狗发现了它，“汪！汪！”大狗对花花大叫。花花吓得趴在地上，一动也不敢动，“喵呜，喵呜”的哼着：“妈妈快来啊，妈妈救命！”

这时，阿黄突然从后面跳了出来，挡在花花面前，冲大狗“喵，喵”大叫。它全身的毛全竖起来了，看上去就像是一头凶猛的老虎，又像一头凶猛的狮子！大狗本来只想吓唬吓唬花花，见阿黄这么凶猛地朝自己扑过来，也吓得转身跑开了。

花花见大狗走了，一下子跳到阿黄怀里，“妈妈，你怎么在这？”“傻孩子，妈妈一直跟着你呢。”花花摇了摇尾巴，说：“妈妈，原来你就是我的亲妈妈啊！”

斯瑟蒂克的提示

讲完故事之后，孕妈妈告诉胎宝宝：“无论发生什么事情，妈妈永远都在你身后。”

孕妈妈可以简单讲一下很多小动物小的时候和长大时候的样子是不一样的，比如企鹅、熊猫、狮子等。

闪光卡片：胎宝宝学数字（7）

今天要学的是数字“7”。

孕妈妈把注意力集中到卡片上的色彩鲜艳地带，过一会儿之后用手描摹数字的字形，告诉胎宝宝：“这个数字念‘7’。”多次重复，直到孕妈妈感觉印象深刻为止。

看看这个数字，像什么呢？有点似曾相识的感觉？

是不是想起了农民伯伯锄地的“锄头”？是不是想起了樵夫砍柴的“板斧”？是不是想起了渔夫的“钓竿”？是不是想起了老爷爷的“拐棍”？……

“7”意味着多少呢？孕妈妈可以数手指头，可以摆筷子，可以指出日历上一周的天数……让胎宝宝知道，原来6加1就是7，3加4也是7，5加2得到的还是7。“7”是比之前学过的数字都要大的数。

斯瑟蒂克的提示

孕妈妈可以提示胎宝宝：字母“L”与数字“7”很相似，再复习一遍“L”以加深印象。

七星瓢虫、北斗七星等都可以作为孕妈妈的教学工具。

第27周 听得更清楚了

报告妈妈：这周我的听觉系统已经发育完全了，听力更加灵敏了，脑袋上还长出了短短的胎发，但我的气管和肺都还没有发育成熟，现在只能在羊水中练习呼吸的动作。妈妈多跟我聊聊天吧，我也是会寂寞的呢！

对话胎宝宝：妈妈陪着你呢

宝宝现在已经熟悉妈妈和你一块儿玩了，如果有一段时间听不到妈妈的声音，就在妈妈的肚子里左摇右晃的，是不是怕妈妈冷落了你啊？别担心，妈妈一直都在，即使你长大成人了，妈妈也永远陪伴着你。

斯瑟蒂克胎教音乐：玩具兵进行曲

如果感到有些疲劳，孕妈妈不妨听一首能够让你感到快乐的曲子。

这首管弦乐据说是德国作曲家莱昂·耶塞尔根据自己小时候的一个梦境创作而成。乐曲中加进了短笛、木琴、小钟琴，活泼风趣。尾声部分，将玩具兵发现小主人醒了那惊慌失措而迅速地逃回箱子里的动作描绘得十分生动、逼真。

准爸爸的开心事

胎宝宝既要了解妈妈，也要熟悉爸爸，准爸爸遇见的事情，都要及时和胎宝宝说说。

比如，在工作中受到了表扬，假日钓鱼有了意外收获，和孕妈妈出外散步看到有趣的、好玩的事情，都可以给胎宝宝讲讲，因为胎宝宝也是家里的一员，一样要分享爸妈的快乐哟！

妈妈读书时间

清凉的水罐

今天继续读一段温馨唯美的文字吧！

为了做午饭，仆人提来一只刚刚打满井水的大肚子陶罐。井水凉得直从陶罐的所有的毛细孔里往外渗，水汽布满清凉潮湿的水罐发红的表面。水汽多些的地方凝成的大水滴滚落在洁白的桌布上。厨房里充满半明不暗的柔软光线。一道阳光从窗缝里射进来，像拉紧的黄丝带从窗扇高处伸向房间中央，活像一个金线团落在地上。有时吹来一阵风把窗帘掀动，圆圆的光点也随着移动。小小的纽芬兰犬蒂塔尼奥久久地注视着那个光点，然后猛地向它扑去。它以为那是一个古怪的小昆虫。现在光点竟像一只开玩笑的蜜蜂爬到它那毛茸茸的爪上，它不禁汪汪地叫起来。厨房里传来碗碟的声响；院子里响起秋蝉的模糊的叽叽声。在等待吃午饭的时候，十二月份的炎热中午的昏睡开始侵扰我。我那六岁的健康的儿子饿得不行，掰了一块面包坐在桌边的椅子上等待父亲回来。我的毛衣针、毛线活、毛线团从我的裙子缓缓滑向地席。我把面颊贴在清凉、潮湿的陶罐上。这简单朴实的幸福足以将我眼前这个时刻变得充实。

（胡安娜·伊瓦沃罗）

闪光卡片：胎宝宝学图形（7）

孕妈妈做好学习的准备，今天要学习的是梯形。

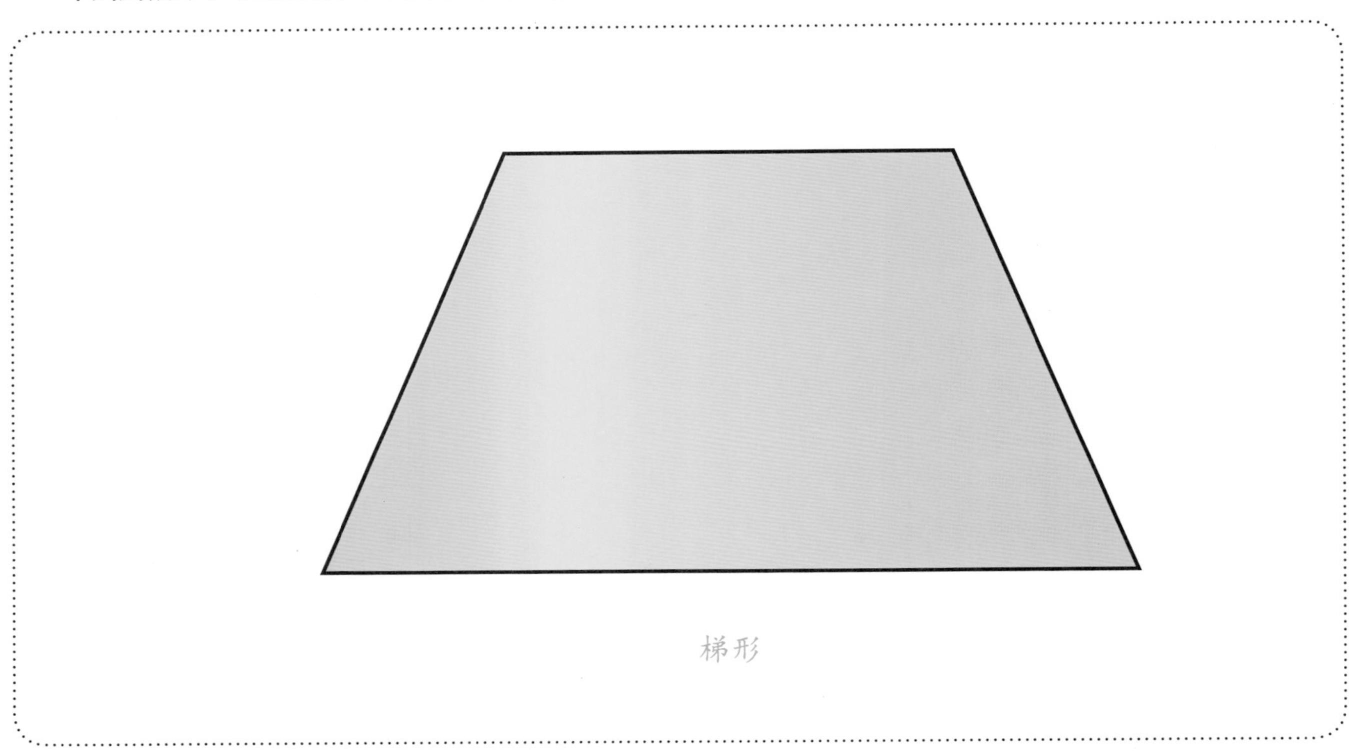

梯形

对于线条和角度比较多的图形，孕妈妈要用更多的时间去帮助胎宝宝记忆。如果感觉需要用笔去增强记忆的话，就拿起笔和纸，一边重复“梯形”这个发音，一边在纸上重复画梯形吧！

要记住这个图形，就从给胎宝宝解释“梯形”的名称由来开始吧！孕妈妈可以在脑海里回忆一架梯子，梯子是什么样子的，告诉胎宝宝：

“梯子中间一格格的，就是梯形。”

生活中还有哪些东西是梯形的呢？孕妈妈和胎宝宝一起想一想吧！

斯瑟蒂克的提示

梯形和长方形以及正方形都不一样，孕妈妈通过找出生活中的梯形，加以强化梯形在脑海里的印象，胎宝宝就会受益更多。

欣赏名画：荷花鸳鸯图

欣赏意蕴深远的国画，可以使孕妈妈心绪宁静。带着你的胎宝宝，在清代画家吴振武的《荷花鸳鸯图》里，接受一下美的熏陶吧！

这是夏季荷塘一角，一对鸳鸯在如伞的荷叶下结伴而游，荷叶的脉络、荷花的红丝及荷柄之上的细刺描绘得细致入微，荷花花瓣的颜色红艳鲜活，在淡墨勾染成的水波、水草、芦苇的映衬下，淋漓尽致地渲染出一派空灵润泽之气，好像夏季的微风和着荷叶的香味，扑面而来。

静静地欣赏这幅画，孕妈妈用想象的翅膀，给自己做一次心灵瑜伽吧！

闪光卡片：胎宝宝学数字（8）

继续学习数字了，今天要学习的是数字“8”。

孕妈妈对着卡片，盯着卡片上颜色鲜艳的区域，静心把这个数字给记住。感觉“8”就像浮出湖面的神奇数字一样，再把它沉入你的心底。

“8”像什么呢？“两个摞在一起的小圆圈”“两个对合的字母‘s’”“一个葫芦”“一个大麻花”“一个雪人”……

那么“8”有什么意思呢？

孕妈妈可以在面前摆出8块小饼干，一边摆放一边数数，或者是数窗格子，一格一格数出来直到数到8……

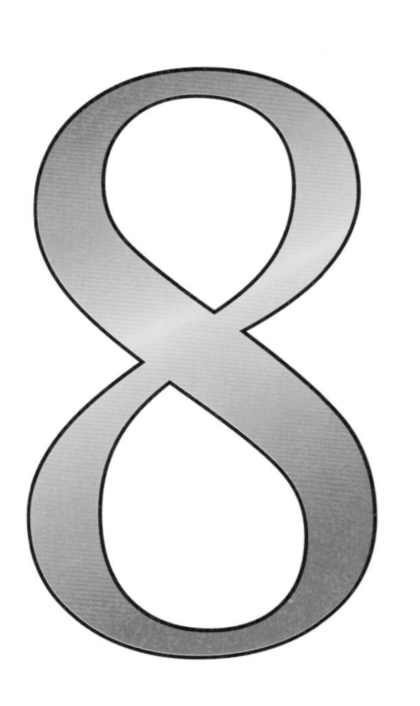

胎教营养餐：奶油西红柿培根蘑菇汤

原料：

西红柿3个，培根、鲜菇、面粉、牛奶、紫菜、盐、黄油各适量。

做法：

1. 培根用油煎一下，切碎；西红柿用开水烫一下，去皮后用粉碎机打成泥；鲜菇切片。

2. 炒锅上火，加黄油、少许面粉煸炒一下后加鲜菇、牛奶、培根和西红柿泥，再加水调成适当的稀稠度，加盐调味。

3. 做好的汤倒入盘中，将紫菜切成细丝，撒在汤上即可。

营养提示：鲜菇可以提高机体免疫力，孕妈妈增强了体质，胎宝宝才能免受疾病侵害。

第28周 爱学习的胎宝宝

报告妈妈：现在我的体重在1000~1400克之间，身长43厘米左右，妈妈的子宫快被我充满了，我的眼睛可以自由开合，还形成了自己的睡眠周期。吸手指和踢腿、伸懒腰是我的日常娱乐。我的大脑皮层表面开始出现一些特有的沟回，脑组织快速增殖。这段时间是我的大脑活动活跃期。

对话胎宝宝：嗨，我是妈妈

宝宝，刚才和你玩踢肚子游戏的，猜猜是谁？呵呵，猜对了，是妈妈！每次玩踢肚子游戏，你都好像提前知道我要轻拍哪儿似的，回应得特别准确。你爸爸说是我作弊了，他总是说你偏心。呵呵，其实哪里有呢，母子连心，这个道理还用解释吗？

妈妈唱儿歌：小兔儿乖乖

现在的胎宝宝进入了接受能力旺盛的阶段，孕妈妈多给胎宝宝唱歌或者听歌啊！

小兔儿乖乖，把门儿开开
快点儿开开，我要进来
不开不开我不开
妈妈没回来，谁来也不开
小兔儿乖乖，把门儿开开
快点儿开开，我要进来
就开就开我就开
妈妈回来了，我就把门开

准爸爸讲百科：雨是从哪来的

下雨了，天空中落下无数的雨滴。它们从哪里来的呢？准爸爸，给胎宝宝解开这个疑问吧！

地面温度高，高空温度低，地面上的水，由于太阳光照升温，以水蒸气的形式上升到高空中，遇冷凝结，就变成无数的小水滴或者小冰晶。

小水滴、小冰晶们聚集在一起，成为我们看到的云朵，云中的小水滴、小冰晶依然在不断碰撞、合并，成为大水滴，云也越变越厚，越变越沉。

当云中的大水滴、大冰晶越来越多，越来越重，云朵托不住它们的时候，它们就往下落。下落过程中如果地面温度高于零度的话，本来凝固的冰晶都变为水滴，落到地面就是我们看到的雨。

斯瑟蒂克的提示

孕妈妈要将雨滴的形成过程在头脑里清晰地展示出来，通过这种想象加深胎宝宝的理解。

妈妈读书时间

你不必完美

在妈妈心中，自己的孩子永远是最好的，即使他并不完美。

我们当然应该努力做到最好，但人是无法要求完美的。我们面对的情况如此复杂，以致无人能始终不出错。

好几次，当我必须告诉别人我在某件事上做错了时，我多害怕他们不再爱我。但我非常惊奇地发现，他们因为我愿意承认自己的错误而更爱我。比较起来，他们更需要我诚实、正直。

然而，有时人们并不能正确对待自己的过失。也许我们的父母期望我们完美无瑕；也许我们的朋友常念叨我们的缺点，因为他们希望我们能够改正。而他们难以谅解的是因为我们的过失总在他们最脆弱的时候触痛了他们的心。

这让我们感到负疚。但在承担过错之前，我们必须问问自己，那是否真是我们应该背负的包袱。

我是从一个童话中得到启示的。一个被劈去了一小片的圆想要找回一个完整的自己，到处寻找自己的碎片。由于它是不完整的，滚动得非常慢，从而领略了沿途美丽的鲜花，它和虫子们聊天，它充分地感受到阳光的温暖，它找到许多不同的碎片，但它们都不是它原来的那一块，于是它坚持着找寻……直到有一天，它实现了自己的心愿。然而作为一个完美无缺的圆，它滚动得太快了，错过了花开的时候，错过了虫子。当它意识到这一切时，它毅然舍弃了历尽千辛万苦才找到的碎片。

这个故事告诉我们，也许正是失去，才令我们完整。一个完美的人，在某种意义上说，是一个可怜的人，他永远无法体会有所追求、有所希冀的感觉，他永远无法体会爱他的人带给他某些他一直追求而得不到的东西的喜悦。

一个有勇气放弃他无法实现的梦想的人是完整的；一个能坚强地面对失去亲人的悲痛的人是完整的——因为他们经历了最坏的遭遇，却成功地抵御了这种冲击。

生命不是上帝用于捕捉你的错误的陷阱。你不会因为一个错误而成为不合格的人。生命是一场球赛，最好的球队也有丢分的记录，最差的球队也有辉煌的一天。我们的目标是尽可能让自己得到的多于失去的。

当我们接受人的不完美时，当我们能为生命的继续运转而心存感激时，我们就能成就完整，而别人却渴求完整——当他们为完美而困惑的时候。

如果我们能勇敢地去爱、去原谅，为别人的幸福慷慨地表达我们的欣慰，理智地珍惜环绕自己的爱，那么，我们就能得到别的生命不曾获得的圆满。

（哈罗德·斯·库辛）

闪光卡片：胎宝宝学字母（8）

处理好手中的琐事，选择孕妈妈觉得合适的时间，就可以继续开始闪光卡片的学习了。

W是不是像两个“V”粘在一起？又像“一小截弹簧”？还像“山谷”……

X是不是很像“小叉叉”？像“两根筷子交叉摆放”？像“家里用的剪刀”……

Y很像“树的枝丫”“酒杯”“漏斗”“桥墩”……

Z的发音容易有误，孕妈妈要注意发音的准确性，不妨多念几次。

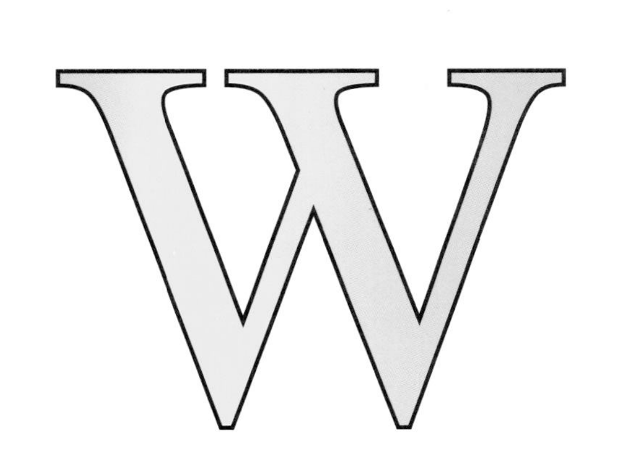

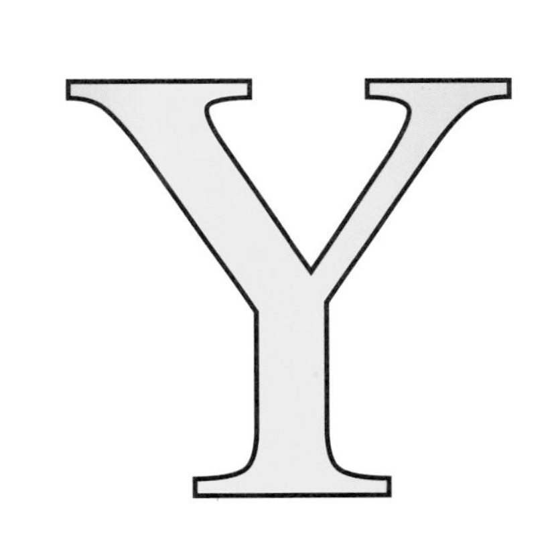

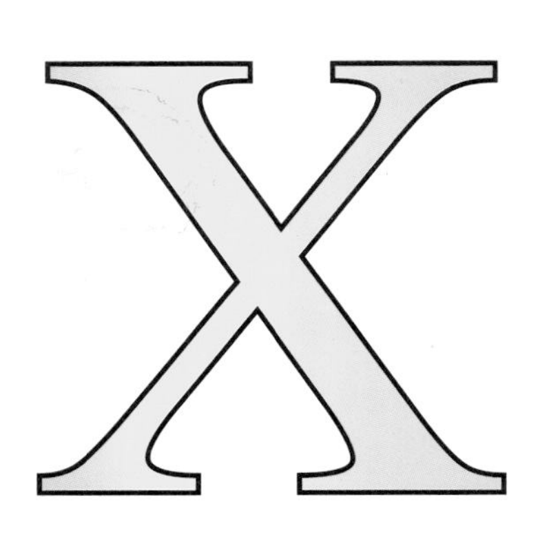

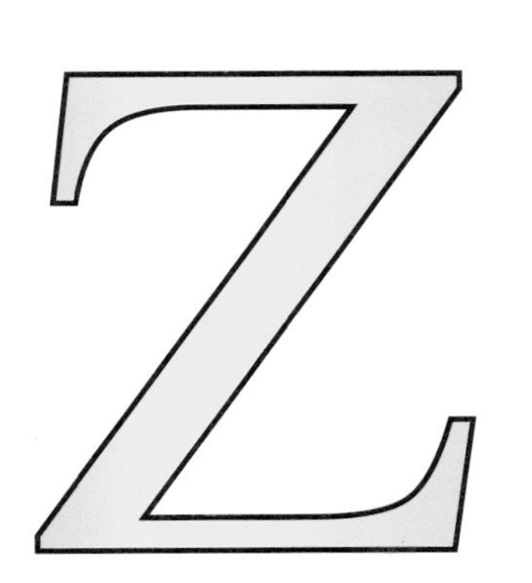

胎教故事袋：雨滴项链

能带给你幻想、幸福和希望的故事就是最好的胎教故事，这首《雨滴项链》就是这样。

有位名叫琼斯的先生和妻子住在离大海不远的地方。一个暴风雨的夜晚，琼斯先生救下了被冬青树挂住的北风。

为了感谢琼斯先生，北风决定做他女儿劳拉的教父，并送给劳拉一串雨滴项链作为生日礼物。项链上挂着三颗明光闪闪的雨滴。他说："每年劳拉过生日的时候，我都会给她带一颗雨滴来。每一滴雨滴都会有不同的功能。等她有了十颗雨滴，就能让天上下雨。"说完，他飞上了天空。

一年很快就过去了。

北风给了劳拉第四颗雨滴，即使是下最大的雨，也不会把她淋湿。

第二年，北风给她带来了第五颗雨滴。又过了一年，带来第六颗。再一年，带来第七颗，接着是第八颗、第九颗。现在劳拉只要一拍手就能把雨停住。

劳拉上学了，孩子们经常喊着："劳拉，劳拉，请你把雨停住吧，雨停了我们就能到外面去玩了。"

劳拉总是满足他们的要求，把雨停住。

可是有个名叫梅格的小姑娘心里很不平衡："为什么劳拉就有那可爱的项链，还能把雨停住？为什么我就没有？"

于是梅格想了个坏主意，把项链偷了出来。结果被她爸爸看见了。

梅格的爸爸把项链卖给了一个银匠，银匠又把项链卖给了一个商人，这个商人把项链当做生日礼物送给了阿拉伯公主。

劳拉的鸟儿朋友们告诉她这个消息，并把劳拉领进了国王的花园。这里的草都干了，花儿都枯黄了，因为天气太热，已经有一年没有下雨了。

第二天早晨，公主走进花园，打开她的礼物，这些礼物中间也有劳拉的项链。

劳拉一看见自己的项链，就跑过去，喊着："哦，那条项链是我的！"

阿拉伯国王生气了："这个女孩是谁？谁让她到我花园里来的？把她带走，扔到海里去！"

可漂亮的小公主说："等一等。"她问劳拉，"你怎么知道这项链是你的？"

"因为这是我教父给我的！"

正在这时，北风飞进了国王的花园。

"原来你在这里"他说，"我为了给你送生日礼物，找遍了整个世界。你的项链呢？"

"在公主那儿。"可怜的劳拉说。

"你不该摘掉项链！" 北风把手中的雨滴摔在干草上，雨滴不见了。然后他就飞走了。劳拉哭了起来。

"别哭了"好心的小公主说，"你把项链拿去吧，这是你的。"公主把项链从劳拉头上套下去。就在这一刹那，劳拉的一滴眼泪恰好落到项链上，和另外九颗雨滴排在一起，成为第十颗了。劳拉笑了，她擦干眼泪，用鼻子吸了一下气，你猜怎么着？天上下雨了！下呀，下呀，树木伸出了枝叶，花儿展开了花瓣，它们高兴极了。

终于下雨了，阿拉伯国王高兴得不得了，送劳拉回到家，并邀请她每年都过来作客。

闪光卡片：胎宝宝学图形（8）

今天我们学到菱形啦！

孕妈妈的手指不断临摹卡片上的图形，告诉胎宝宝这个叫“菱形”。

孕妈妈和胎宝宝一起思考一下，有什么东西是菱形的？

“墙上的衣帽架中的格子”“爸爸毛衣上的图案”“水晶吊灯的坠子的切面”……

斯瑟蒂克的提示

对于比较复杂的图案，孕妈妈可以找出生活中的相应图案，帮助胎宝宝理解。

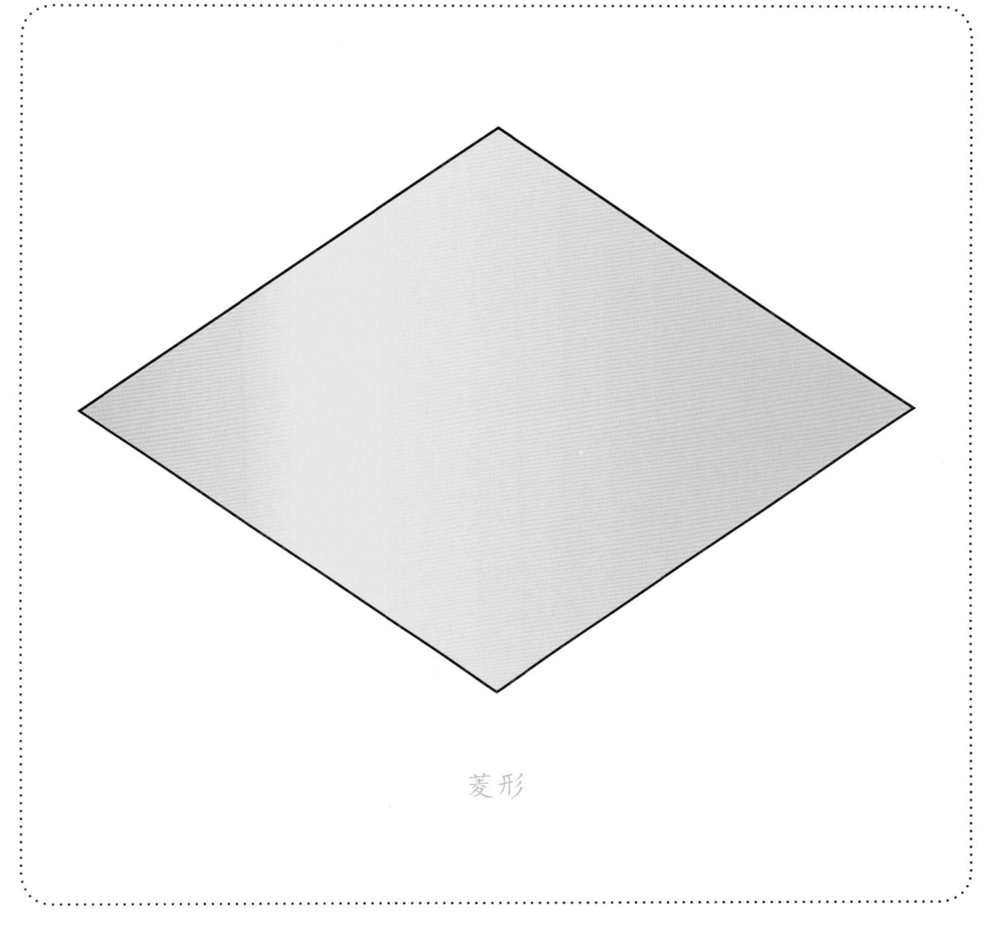
菱形

胎教营养餐：红枣花生粥

原料：

糯米200克，花生仁100克，红枣50克，红糖适量。

做法：

1. 先将花生仁煮烂，倒入洗净的糯米，大火烧开。

2. 加入红枣，改用小火煮成粥，食用时加入红糖调匀即可。

营养提示：气血双补，益智补脑，对孕妈妈和胎宝宝都很有益。

Part 3 孕晚期（29~40周）

斯瑟蒂克告诉你——这是胎教的关键期

“我们每天以充满爱的声音对胎宝宝讲的一切，一定能在他头脑中的某一个地方留下印记，他在妈妈肚子里听到的、感觉到的、理解了的东西将会永不消失地影响他的一生，并一定会引导他走上幸福的人生之路。”

——实子·斯瑟蒂克

第29周 越来越不老实

报告妈妈：现在我已经会睁开眼睛，把头转向妈妈子宫壁外的光源。还有啊，你现在可以看到我的手指甲了，妈妈一定很高兴吧。

对话胎宝宝：我为你而骄傲

亲爱的宝宝，我们已经一起走过了大半年的路程，看到你健康快乐地成长着，知道妈妈有多自豪、多骄傲吗？想到很快就能见到你这个调皮的小捣蛋了，爸爸妈妈别提多兴奋了，尤其是你的爸爸，那副迫不及待的样子，看起来真的很可爱。

宝宝，这最后的三个月，也是你成长最迅速的三个月，虽然妈妈会出现一些不舒服的小症状，但是妈妈会继续坚持，你也要继续加油哦！

准爸爸摄影师，拍套“香艳大肚”照

看着自己“挺拔”的大肚子，是不是特幸福？这可是人生中很骄傲的时刻，一定要将它记录下来，以后就可以和你的小宝宝一起分享怀孕时的快乐和美丽了。

摄影师这个光荣的任务，自然要由准爸爸担任了。找一个阳光明媚的时刻，拿起手中的照相机或者摄影机，给最亲爱的老婆拍一套“大肚子”写真吧，轻按快门的那一刻，将你的爱和幸福全部记录下来。

胎教小童谣：小老鼠上灯台

这首小童谣，又让你想到了小时候的欢乐时光吧？那就带着这份快乐的心情，把它念给胎宝宝听吧！

小老鼠，上灯台。偷油吃，下不来。喵喵喵，猫来了，叽里咕噜滚下来。

斯瑟蒂克的提示

这么可爱的小童谣，妈妈要充满感情来朗读啊！要将小老鼠匆匆忙忙、慌慌张张的样子，还有小花猫威风凛凛、无比神气的样子一起讲给胎宝宝，让胎宝宝和你一起享受快乐。

妈妈读书时间

紫藤萝瀑布（节选）⑤

我不由得停住了脚步。

从未见过开得这样盛的藤萝，只见一片辉煌的淡紫色，像一条瀑布，从空中垂下，不见其发端，也不见其终极。只是深深浅浅的紫，仿佛在流动，在欢笑，在不停地生长。紫色的大条幅上，泛着点点银光，就像迸溅的水花。仔细看时，才知道那是每一朵紫花中最浅淡的部分，在和阳光互相挑逗。

这里春红已谢，没有赏花的人群，也没有蜂围蝶阵。有的就是这一树闪光的、盛开的藤萝。花朵儿一串挨着一串，一朵接着一朵，彼此推着挤着，好不活泼热闹！

“我在开花！”它们在笑。

“我在开花！”它们嚷嚷。

每一穗花都是上面的盛开、下面的待放。颜色便上浅下深，好像那紫色沉淀下来了，沉淀在最嫩最小的花苞里。每一朵盛开的花就像是一个张满了的帆，帆下带着尖底的舱，船舱鼓鼓的；又像一个忍俊不禁的笑容，就要绽放似的。那里装的什么仙露琼浆？我凑上去，想摘一朵。

但是我没有摘。我没有摘花的习惯。我只是伫立凝望，觉得这一条紫藤萝瀑布不只在我眼前，也在我心上缓缓流过。我沉浸在这繁密的花朵的光辉中，别的一切暂时都不存在，有的只是精神的宁静和生的喜悦。

这里除了光彩，还有淡淡的芳香，香气似乎也是浅紫色的，梦幻一般轻轻地笼罩着我。忽然记起十多年前家门外也曾有过一大株紫藤萝，它依傍一株枯槐爬得很高，但花朵从来都稀落，东一穗西一串伶仃地挂在树梢，好像在试探什么。后来索性连那稀零的花串也没有了。园中别的紫藤花架也都拆掉，改种了果树。那时的说法是，花和生活腐化有什么必然关系。我曾遗憾地想：这里再也看不见藤萝花了。

过了这么多年，藤萝又开花了，而且开得这样盛，这样密，紫色的瀑布遮住了粗壮的盘虬卧龙般的枝干，不断地流着，流着，流向人的心底。

花和人都会遇到各种各样的不幸，但是生命的长河是无止境的。我抚摸了一下那小小的紫色的花舱，那里满装生命的酒酿，它张满了帆，在这闪光的花的河流上航行。它是万花中的一朵，也正是一朵一朵花，组成了万花灿烂的流动的瀑布。

在这浅紫色的光辉和浅紫色的芳香中，我不觉加快了脚步。

（宗璞）

闪光卡片：胎宝宝学汉字（1）

从今天开始，我们要学习汉字喽，孕妈妈要和胎宝宝一起加油啊！

先从最简单的“人”字开始吧！

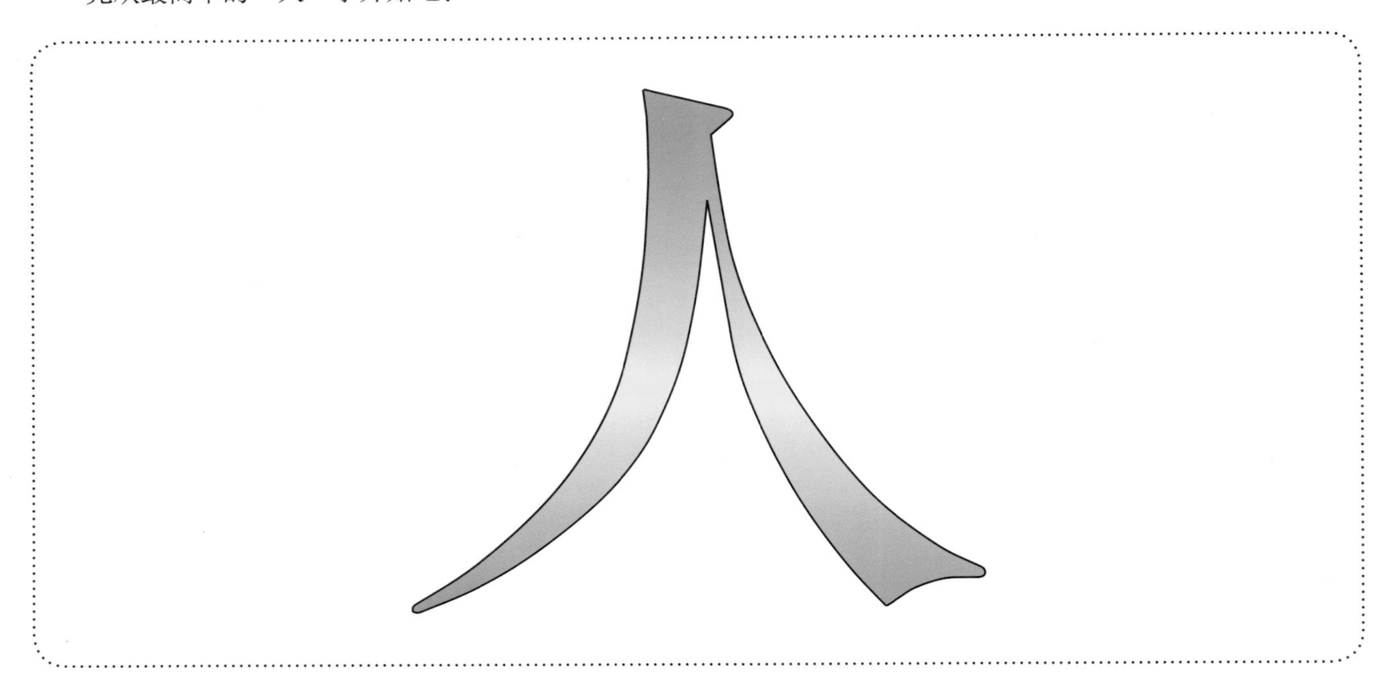

孕妈妈要集中注意力，正确地念出“人”的发音，然后用手在卡片上描摹，将“人”字的形状深深地印入脑海中。

当然，最好的学习方法是配合联想，“人”像不像“正在迈步的双腿”呢？或者是“尖尖的斗笠”？

“人”代表什么意思呢？我们都是人，爸爸、妈妈，还有宝宝你，虽然还没有出生，但是你也是“人”哦！我们“人”啊，会劳动，会思考，会制造好多好多复杂的工具……等你将来出生了，会有很长很长时间更好地理解这个字的意思的。

斯瑟蒂克的提示

孕妈妈可以多结合生活中的不同人的形象，对胎宝宝进行拓展练习。这样的话，孕妈妈和胎宝宝之间交流的话题也会越来越丰富。

欣赏名画：婴孩的爱抚

期待宝宝的出生，期待做父母，孩子在我们脸上的温柔爱抚，无疑就像天堂的阳光那么珍贵。

现在你所看到的这幅油画，名为《婴孩的爱抚》，作者是美国女画家玛丽·卡萨特。画作刻画了一对母子的日常形象，赤裸的婴儿舒适地依偎在母亲怀中，用一只肉乎乎的小手去抚摸母亲的面颊。母亲充满爱怜地望着怀中的宝贝，用一记在孩子掌心的亲吻回应宝贝的爱抚。

画家用敏感的笔触捕捉了最常见又最能打动人的生活细节，画中那种纯净安详的母爱情怀，超越了时间的界限，深深地打动了每一位观众的心。

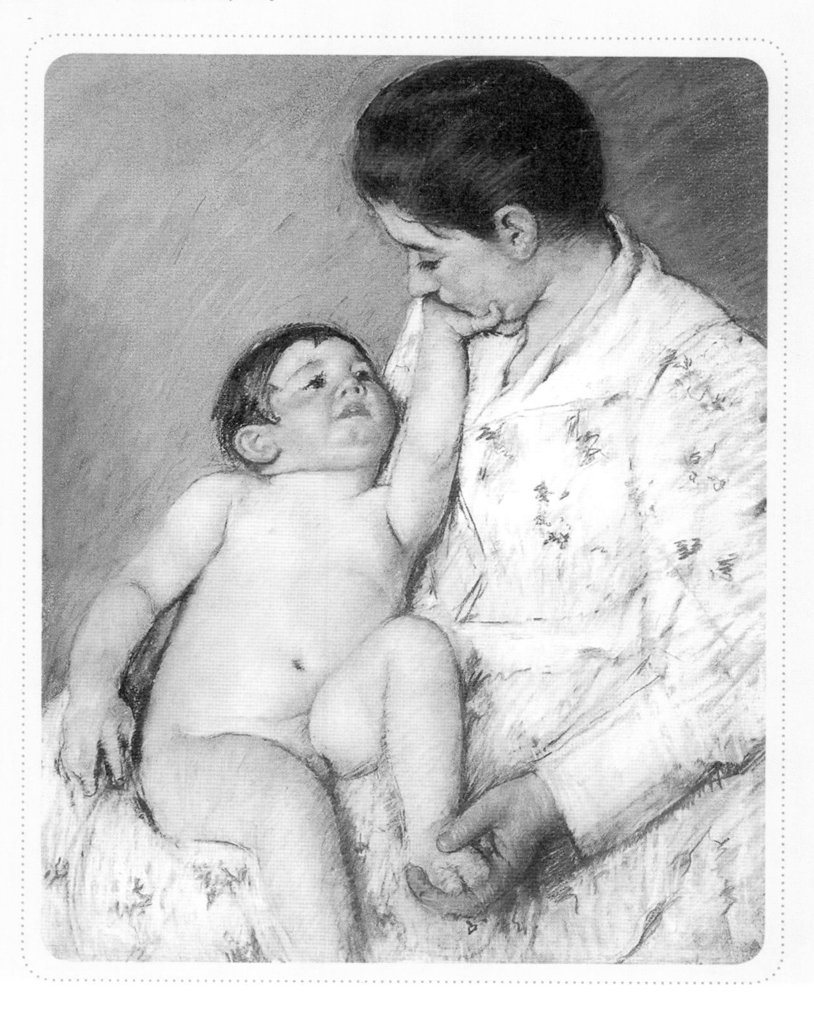

闪光卡片：胎宝宝学数字（9）

休息一下，做做深呼吸，继续闪光卡片的学习！今天要学习的是数字“9”。

注意了，孕妈妈不仅要用手描摹出它的形状，还要在脑海里牢牢地记住它的形象。

“9”像什么呢？“一只可爱的小蝌蚪”“一颗小小的豌豆”“会吹响的小哨子”……

一起数一数，“9根手指”“9块饼干”“9个话梅”……这样就知道9的意思了。

胎教营养餐：松仁玉米

原料：

松子仁150克，葵花子仁20克，甜玉米100克，胡萝卜半根，黄瓜1根，盐、橄榄油、蜂蜜、水淀粉各适量。

做法：

1. 胡萝卜、黄瓜洗净切丁；松子仁、葵花子仁放入微波炉烧烤挡，开中火10分钟；甜玉米放入沸水中焯熟。

2. 锅中放橄榄油烧热，放入松子仁、葵花子仁炒香，加入甜玉米、胡萝卜丁、黄瓜丁炒匀。

3. 放入盐，炒匀后，用蜂蜜混合水淀粉勾芡，出锅前撒上黄瓜丁翻炒片刻即可。

营养提示：松子仁对于身体虚弱的孕妈妈和生长发育迟缓的胎宝宝都有很好的补益作用。

第30周 有规律的睡眠

报告妈妈：现在我的大脑发育很迅速，而且我对声音的反应更敏锐了，这一点妈妈肯定也发现了吧。

对话胎宝宝：真想快点见到你

妈妈的肚子现在越来越大了，低着头都看不到自己的脚了，你能想象得到妈妈现在的样子吗？妈妈小的时候，曾经在肚子上塞个枕头，学孕妇走路，那时候真的是小啊。

现在妈妈是真的体会到，带“球”运动的感觉了，不过还是幸福的！离预产期的日子越来越近了，妈妈真的特别希望快点见到你，你也一样想见妈妈吧？

斯瑟蒂克胎教音乐：月光奏鸣曲

有点累了吗？那就随着贝多芬的弹奏，和你的胎宝宝一起享受这特殊的“月光”洗礼吧！

斯瑟蒂克的提示

你可以选择一个静谧的夜晚，和胎宝宝一起欣赏，并且随着音乐的节奏，想象那初升的月亮，柔和皎洁的月光，那随着节奏泛起波澜的海面，以及乐曲中表达的那种对信念的憧憬与希冀。

妈妈读书时间

金色花

假如我变成了一朵金色花，只是为了好玩，
长在那棵树的高枝上，笑哈哈地在风中摇摆，
又在新生的树叶上跳舞，妈妈，你会认识我么？
你要是叫道：“孩子，你在哪里呀？”
我暗暗地在那里匿笑，却一声儿不响。
我要悄悄地开放花瓣儿，看着你工作。
当你沐浴后，湿发披在两肩，穿过金色花的林荫，
走到你做祷告的小庭院时，你会嗅到这花的香气，
却不知道这香气是从我身上来的。
当你吃过午饭，坐在窗前读《罗摩衍那》，
那棵树的阴影落在你的头发与膝上时，
我便要投我的小小的影子在你的书页上，
正投在你所读的地方。
但是你会猜得出这就是你小孩子的小影子吗？
当你黄昏时拿了灯到牛棚里去，
我便要突然地再落到地上来，
又成了你的孩子，求你讲故事给我听。
……

（泰戈尔）

准爸爸讲百科：灯泡为什么会发光

又到了准爸爸大显身手的时间了，准爸爸准备好了吗？再来给你的胎宝宝讲一个有趣的百科知识吧！

灯泡在我们生活中，用处可大了，到了晚上，就全靠它来照明了，可是它为什么会发光呢？

那是因为，在灯泡里，有一个由金属钨做成的细丝，叫“钨丝”。这根小小的钨丝可是关键啊！

当我们打开电源时，电流会通过钨丝，使钨丝产生热，而且不断提高温度，由红转成白热。钨丝被烧红时所发出的强烈光线就是我们看到的“灯光”了。

给胎宝宝一束光

现在，胎宝宝的眼睛已经能够追踪光源了，所以孕妈妈可以试着给胎宝宝进行光照训练。

通过这种光照训练，可以训练胎宝宝的视觉功能，帮助他形成昼夜周期规律。

在产前检查的时候，孕妈妈肯定知道胎宝宝头部的位置了，你可以每天选择固定的时间，用手电筒通过腹壁照射胎宝宝头部。

每次照射的时间不要太长，每次 5 分钟就足够了。当胎宝宝看到光线后，就会做出转头、眨眼等动作了。

玩七巧板游戏

孕妈妈是不是等得有些不耐烦了呢？不妨玩一个小游戏吧！

七巧板的游戏，你肯定不陌生，这个好玩的小游戏，不仅能打发时间，还能促进胎宝宝的大脑发育。

你可以用不同形状的纸板，发挥想象拼出不同样子的图形，然后再看一看，这些图形像什么呢？会不会像“骄傲的公鸡”或者是“笨重的骆驼”，甚至像“外星球的机器人”？

斯瑟蒂克的提示

你可以用硬纸板，自己制作七巧板，涂上自己喜欢的颜色，既可以作为孕期自己玩的游戏，将来宝宝出生后，还可以和宝宝一起玩，也可以作为教宝宝学图形、学颜色的工具。

闪光卡片：胎宝宝学图形（9）

今天要学一个特别的图形，“心形”。画一颗大大的爱心，来表达你对胎宝宝浓浓的爱意吧！

心形

孕妈妈注意啦！用手指在卡片上进行描摹，将这个形状印入脑海里，形成立体的影像传递给胎宝宝。

你的双手也能拼出一个完整的心形呢，这会加深胎宝宝对心形的印象。

再找找看，和卡片上这个图形一样的东西在哪儿？“心形的发卡”“心形的抱枕”“桃心的贴纸卡通”，还有“心形的小积木”……用这些实物加深印象吧！

斯瑟蒂克的提示

教胎宝宝学习图形时，积木是最系统的教具，事先准备一些积木，将这些积木和生活中的实物联合起来，穿插着教，效果会更好。而且这些积木还可以作为你和宝宝将来的玩具。

胎教故事袋：小蝌蚪的梦想

小蝌蚪的梦想是什么呢？和你的胎宝宝一起去探寻一下吧！

一天、两天……在水中一个透明的、像葡萄粒一样光滑又柔软的小房子里，小蝌蚪在慢慢长大。（这像不像胎宝宝的成长过程呢？）

渐渐长大的小蝌蚪看着身边的世界，真想快点儿出去。

半个多月过去了，小蝌蚪终于有了足够的力气。一天，他一用劲儿，嗬，圆圆的小脑袋探出来了。

慢慢地，又是半个月过去了，奇妙的事情发生了——小蝌蚪长长的尾巴旁边长出了两条细细的小腿儿！

满心欢喜的小蝌蚪向岸上望去——哇！小蝌蚪吃惊地张大了嘴，他见到什么样的景象啊——

绿油油的草铺得无边无际，像是一床漂亮又柔软的被子。而且，这被子上还有那么多五颜六色的花朵，互相牵着手，在风中跳舞……

“唉，要是我也能在那漂亮的花瓣上呆一会儿，该多好啊！”小蝌蚪出神地想着！

小蝌蚪嘟起小嘴儿去问阔尾鱼叔叔：“叔叔叔叔，陆地上好漂亮啊，请你告诉我，如果我长大了，有了好多力气，是不是就能到陆地上去了？”

“呵呵，”阔尾鱼叔叔笑着回答，“能，只要有梦想，并努力去做，就一定能实现。你要耐心地等待自己长大。”

又一些奇妙的事情不知不觉地发生了——后腿长出来不久，小蝌蚪的前腿也长出来了。而那小尾巴呢，早就摸不到了。

仅仅两个月的时间，小蝌蚪就真的长大了，长成了一个结实漂亮的帅小伙！现在的他褪去了那一身黑衣，换上了绿色的新袍。还有一个白白的大肚皮。四肢既能游泳又能跳跃，非常有力量。

“孩子，现在你才真正地长大了，不再是一只小蝌蚪，而是一只强壮健美的青蛙了！”阔尾鱼叔叔这样告诉他。

“噢，我长大了！真的长大了！我可以到陆地上去了！”

小蝌蚪的梦想终于变成了现实。他弓起身，快活地向草丛中跃去。

斯瑟蒂克的提示

孕妈妈要充满感情、绘声绘色地讲这个小故事，还要将这些语言转换成大脑中切实的形象，用这种立体传递法，将这个故事传递给胎宝宝。

我和青蛙妈妈一样，期盼着宝宝快些长大！

闪光卡片：胎宝宝学数字（10）

继续闪光卡片的学习吧。今天我们要学一个两位数，就是“10”。

现在，要将注意力集中在卡片上了，“10”是两个数字组合成的，一个“1”后面再加一个“0”，就是“10”了，当然，你还是要用手指描摹出它的形状，这很重要。

接下来，问一问自己，“10”像什么呢？“一根火腿加一个煎蛋”，不仅形象而且还很有营养呢！

还有什么呢？像“一根铅笔加一个小球”“一个长积木加一个圆积木”“一根手指饼加一个圆饼干”……好多好多可以联想到的实物，快点找找。

然后，就是“10”的意思了，我们的手指、脚趾都是10个，从1开始数，一直到10，意思很好解释。

斯瑟蒂克的提示

学习“10”的时候，可以先和胎宝宝讲一讲数字“0”，方法是一样的，正确的发音，用手指描摹形状，进行联想。

第31周 时开时闭的小眼睛

报告妈妈：告诉你一个高兴的消息，现在，我的肺部和消化系统已基本发育完成了，虽然我的身长增长得比较缓慢，但是我可是越来越重了呢，而且我的眼睛可以时而睁开，时而闭上，还能辨别明暗了呢。

对话胎宝宝：妈妈因你而幸福

现在妈妈的感觉，就像抱着一个硕大的西瓜，真正是雄赳赳气昂昂，标准的孕妇姿势。

所以妈妈被注视的机会也越来越多了，每次去散步，总会有很多注视的目光，妈妈在这些目光中看到了羡慕还有祝福，感觉真是很幸福呢！

正是你赐予了我这无比的幸福，宝宝，真的很感谢你！

妈妈唱儿歌：可爱的蓝精灵

一起来唱一首轻快的儿歌，回味一下儿时的快乐心情吧！

在那山的那边海的那边有一群蓝精灵
他们活泼又聪明
他们调皮又灵敏
他们自由自在生活在那绿色的大森林
他们善良勇敢相互关心
噢，可爱的蓝精灵
噢，可爱的蓝精灵
他们齐心协力开动脑筋斗败了格格巫
他们唱歌跳舞快乐又欢欣

胎教童谣好多首

今天给胎宝宝念几首小童谣吧，这些小童谣，可都是小时候常听到的呢！

拉大锯

拉大锯，扯大锯，
姥姥家里唱大戏。
接姑娘，请女婿，
就是不让宝宝去。
不让去，也得去，
骑着小车赶上去。

小小子儿

小小子儿，
坐门墩儿，
哭哭啼啼要媳妇儿，
要媳妇儿，干什么？
点灯说话儿，吹灯做伴儿，
到明儿早晨，梳小辫儿。

准爸爸的胎教对话：我的童年

准爸爸要和胎宝宝讲些什么呢？不妨讲点自己小时候的事吧！无论是曾经的调皮捣蛋，还是鬼灵精怪，或者是那些值得骄傲的小片段，都可以说出来和胎宝宝一起分享。

比如曾经掏过鸟窝，偷偷去河里洗澡，和同伴比赛摔跤或者得过几朵小红花，受过怎样的表扬，再或者小时候看过的动画片，特别喜欢的玩具……这些都是很好的话题。

斯瑟蒂克的提示

准爸爸的这些童年趣事，孕妈妈也是很喜欢听的，多一些这样的对话，对安抚孕妈妈的情绪也很有好处。

妈妈读书时间

是喽嘛

越是到了快见面的时候，心情越是有点紧张吧？不妨放松一下，跟着文学大师朱自清先生感受一下方言的乐趣。

初来昆明的人，往往不到三天，便学会了“是喽嘛”这句话。这见出“是喽嘛”在昆明，也许在云南罢，是一句普遍流行的应诺语。

初来的人学这句话，一面是闹着玩儿，正和到别的任何一个新地方学着那地方的特别话的心情一样。譬如到长沙学着说“毛得”，就是如此。但是这句话不但新奇好玩儿，简直太新奇了，乍听不惯，往往觉得有些不客气，特别是说在一些店员和人力车夫的嘴里。

他们本来不太讲究客气，而初来的人跟他们接触最多；一方面在他们看来，初来的人都是些趾高气扬的外省人，也有些不顺眼。在这种小小的摩擦里，初来的人左听是一个生疏的“是喽嘛”，右听又是一个生疏的“是喽嘛”，不知不觉就对这句话起了反感，学着说，多少带点报复的意味。

“是喽嘛”有点像绍兴话的“是唉”格嘴，“是唉”读成一个音，那句应诺语乍听起来有时候也好像带些不客气。其实这两句话都可以算是平调，固然也跟许多别的话一样可以说成不客气的强调，可还是说平调的多。

昆明话的应诺语，据我所听到的，还有两个。一个是“是噢！”说起来像一个多少的“少”字。这是下对上的应诺语，有如北平的“着”字，但是用的很少，比北平的“着”字普遍的程度差得多。又一个是“是的喽吵”。有一回走过菜市，听见一个外省口音的太太向一个卖东西的女人说，“我常买你的！”那女人应着“是的喽吵”，下文却不知怎么样。这句话似乎也是强调转成了平调，别处倒也有的。

上面说起“着”字，我想到北平的应诺语。北平人说“是得（的）”，是平调。“是呀”带点同情，是“你说着了”的味儿。“可不是！”“可不是吗！”比“是呀”同情又多些。“是啊？”表示有点儿怀疑，也许不止一点儿怀疑，可是只敢或者只愿意表示这一点儿。“是吗？”怀疑就多一些，“是吗！”却带点儿惊。这些都不特别另加语助词，都含着多多少少的客气。

（节选自朱自清《是喽嘛》）

胎教营养餐：冬笋拌豆芽

原料：

冬笋250克，黄豆芽200克，熟火腿75克，盐、香油各适量。

做法：

1. 黄豆芽择洗干净，沸水中焯一下捞出过凉，沥干水分；熟火腿切成丝待用。
2. 冬笋剥去外壳，剁去老根，切成火柴梗粗细的丝，放入沸水锅中烧煮片刻，捞出过凉，沥干水分。
3. 将冬笋丝、豆芽、火腿丝一同放入盘内，加盐、香油拌匀即可。

营养提示：黄豆在发芽过程中，更多的钙、磷、铁、锌等矿物质元素被释放出来，并且维生素C的含量也大大上升。

闪光卡片：胎宝宝学汉字（2）

和胎宝宝打声招呼吧，要提起精神来，继续闪光卡片的学习。今天要学的是一个“心”字，用心学习，用心爱你的胎宝宝。

这个“心”字，它的形状很独特，孕妈妈要按照顺序，细心地描摹，告诉胎宝宝它是怎么写的，仔细体会并将字形映在脑海中的整个过程。

然后，联想一下代表这个字的图形。我们之前学过的“心形”还记得是什么样子吗？

还有什么图形或是照片，能够和“心”联系在一起吗？“爱心卡片”“心心相印”……联想越多越能加强胎宝宝对这个字的印象。

你可以通过一些词来强化这个“心”字。比如你可以将手放在“心脏”的位置，感受着心的跳动，然后和胎宝宝讲：“这个部位就是心脏，我们每个人都有的，身体非常关键的一部分。你也有哦，妈妈每次去检查都能听到你的小心脏在怦怦地跳动，而且跳得很健康，妈妈真的很为你高兴呢！”

加上这样的说明，“心”这个字会更鲜明，在你的脑海中的印象也会更深刻，胎宝宝更容易接受。

儿童画：今儿个真高兴

孩子的想象力、创造力总是会带给我们惊喜，小孩子眼中的世界总是那样色彩斑斓、充满乐趣。

这幅充满童真的儿童画，每一个线条都散发着快乐的讯息，每一种颜色都跳跃着轻快的音符，看着这样的画，你是不是也觉得心情舒畅呢？

那就和这些快乐的孩子们，一起插上想象的翅膀，飞向快乐的国度吧！

你也可以根据这幅快乐的画，编织一个快乐的小故事，讲给你的胎宝宝，和他共同分享这份喜悦和美好。

闪光卡片：胎宝宝学图形（10）

今天我们再学一个新图形吧，漂亮的“星形”怎么样？

星形

将注意力集中在图形的形状和颜色上，慢慢地体会，将这个图形印入脑海中，同时可以用手指进行描摹，加深印象。

“在生活中，像卡片上这个图形的东西有什么呢？”

“漂亮的海星”“国旗上的五角星”“闪闪的红星”“星形的小饼干”“星形的积木”……如果能有实物或者照片，印象就更明确了。

斯瑟蒂克的提示

孕妈妈可以自己用笔画出一些类似“星形”的图案，一方面加强印象，另一方面也是不错的美学胎教内容。比如可以画繁星满天的夜空、漂亮的海星或者开心的星宝宝，想到什么就画什么。

第32周 皮下脂肪开始增加

报告妈妈：现在我的体重差不多1800克，身子不到40厘米。全身的皮下脂肪开始增加了，看起来更像一个婴儿了。不过，我动的次数却比原来少了，动作也减弱了。但是，妈妈不要担心，我还是很健康的。而且我的肺和胃肠功能接近成熟，已具备呼吸能力，能分泌消化液，我喝进的羊水，经过膀胱后还会排泄回羊水中。

对话胎宝宝：有很多人在关注你

宝宝，你知道吗，不光是爸爸妈妈关心你，期待你的到来，还有叔叔、阿姨、爷爷、奶奶都在关注你呢！

每天妈妈出门，都会有很多熟悉的人向妈妈打听你什么时候出生，还有爸爸妈妈的一些朋友，送来了很多小礼物，很开心吧？那就继续健康地成长，然后快快乐乐地降临吧！

斯瑟蒂克胎教音乐：四小天鹅舞曲

用什么词形容天鹅会更恰当呢？优雅、美丽、纯洁或者是可爱？也许在这首“四小天鹅舞曲”中，你会找到合适的答案。而且，别忘了你的胎宝宝也在和你一起听，一起思考。

这首舞曲是《天鹅湖》中的音乐片段。整首曲子轻松活泼，妙趣横生，生动地刻画了四只可爱的小天鹅形象。

轻轻地合上双眼，随着音乐的节奏，带上你的胎宝宝，一起尽情地想象，这种感觉会很美好。

斯瑟蒂克的提示

在赠送的胎教音乐CD中，就有这首曲子，当然你还可以选择其他你喜欢的曲子，重复地放给胎宝宝听。

妈妈读书时间

第一次的茉莉

还记得孩提时温暖的回忆吗？这篇小文章没准会勾起你那些甜蜜的回忆呢！

呵，这些茉莉花，这些白的茉莉花！

我仿佛记得我第一次双手满捧着这些茉莉花，这些白的茉莉花的时候。

我喜爱那日光，那天空，那绿色的大地；

我听见那河水淙淙的流声，在黑漆的午夜里传过来；

秋天的夕阳，在荒原上大路转角处迎我，如新妇揭起她的面纱迎接她的爱人。

但我想起孩提时第一次捧在手里的白茉莉，心里充满着甜蜜的回忆。

我生平有过许多快活的日子，在节日宴会的晚上，我曾跟着说笑话的人大笑。

在灰暗的雨天的早晨，我吟哦过许多飘逸的诗篇。

我颈上戴过爱人手织的醉花的花环，作为晚装。

但我想起孩提时第一次捧在手里的白茉莉，心里充满着甜蜜的回忆。

（泰戈尔）

准爸爸讲百科：为什么月亮的脸会变化

为什么月亮的脸总是会偷偷地改变呢？这可是一个很棘手的问题，准爸爸知道吗？那就讲给你的胎宝宝听吧！

月亮其实是一个特别特别大的星球，它啊，既不会发光也不会发热，我们之所以能够看到皎洁的月光，那完全是靠反射了太阳的光芒。

而且月亮是要围着我们生活的地球，不断地转。

如果月亮绕到了地球和太阳中间，月亮正对着地球的那一面，就完全照不到太阳光，就不会发光，我们也就看不到它了。

等到月亮慢慢地转了个角度，它能被太阳照到了，我们也就能看到它了。这以后，它能照到的太阳光越来越多，我们见到的月亮就越来越大。

当月亮向着地球的这一面全部照到太阳光的时候，我们就会看到一个滚圆的月亮。

不过再往后，月亮向着地球的这一面，又有一部分慢慢地照不到太阳光了，于是我们看到月亮又开始渐渐地变“瘦”。

就这样，月亮总是不断地循环变化着，我们看到的月亮也就总是会改变了。

做几个减轻不适的小运动

到了孕晚期，总是会有一些小小的不适，影响孕妈妈的心情。孕妈妈心情烦躁，会使胎教的效果大打折扣，所以尝试做一些缓解不适的小运动，让自己的身心轻松一下吧！

改善颈痛

颈部先挺直前望，然后弯向左边并将左耳尽量贴近肩膀，再将头慢慢放正，右边再做相同动作，重复做2~3次。

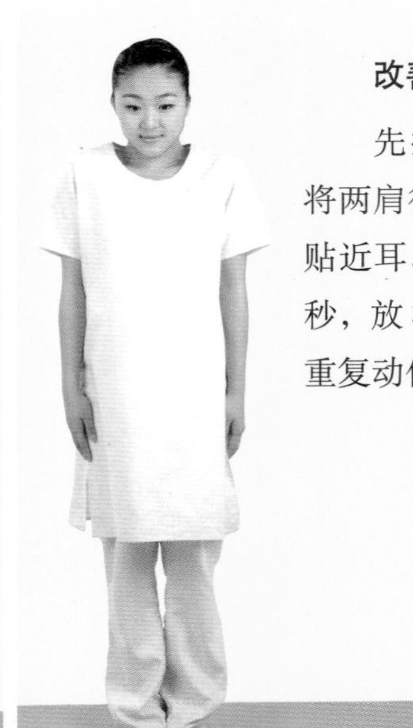

改善肩痛

先挺腰，再将两肩往上耸以贴近耳，停留10秒，放松肩部，重复动作2~3次。

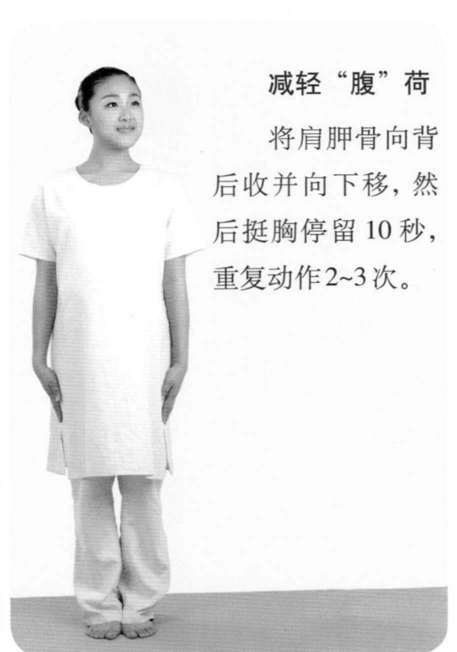

减轻“腹”荷

将肩胛骨向背后收并向下移，然后挺胸停留10秒，重复动作2~3次。

闪光卡片：胎宝宝学汉字（3）

休息一下，让自己的心情慢慢平静下来，开始新的学习内容，再学两个新的汉字吧！

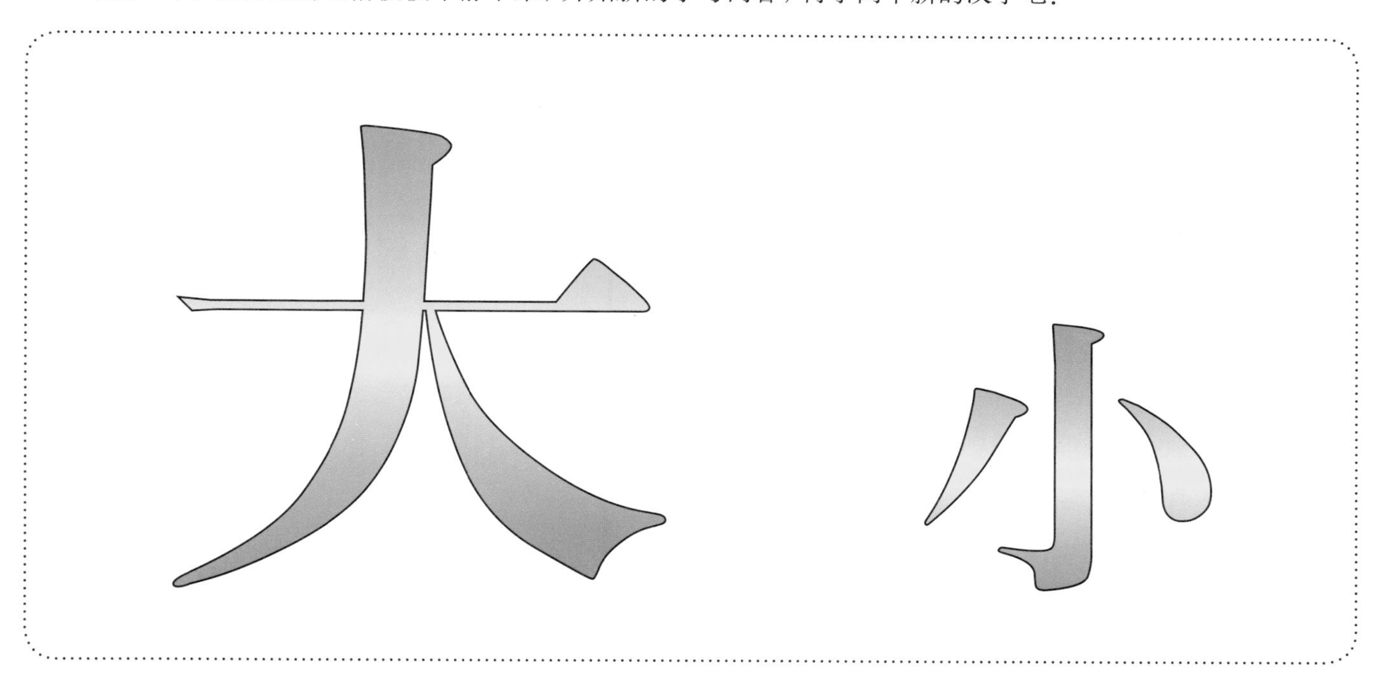

还是老办法，首先要一边读出字的读音，一边用手进行描摹。

“大”字像不像爸爸睡觉的样子？就这样把两只胳膊全部张开，两条腿也不老实地撇开，真的是很大大咧咧的。“小”字像不像妈妈一左一右倚着两个小宝宝，多温馨的场景啊！

你可以多进行一些联想，让胎宝宝对这两个字有很明确的印象。

为了讲明白这两个字的意思，你还可以和胎宝宝一起玩一个小游戏，就是“比大小”。

孕妈妈在进行比较的时候，要反复地和胎宝宝交流：“宝宝，我面前有两块饼干，哪一块是大的呢？”然后拿出大的那一块，问：“这个大，对不对！”或者将话题再扩展一下：“大的饼干要给谁吃呢？”类似这样，利用情境反复交流，胎宝宝会更容易接受。

斯瑟蒂克的提示

这个小游戏，不仅可以帮助胎宝宝熟悉“大”“小”两个汉字，还可以增强他的认知能力。

胎教故事袋：月亮和白杨树

月亮和白杨树会有怎样的故事呢？和你的胎宝宝一起去看一看吧！

夏日的午后，太阳热辣辣地烘烤着大地。白杨树热得满身都是汗，他想使劲儿抖抖身子，甩掉身上的汗味儿，可是，他被晒得一点力气都没有。没办法，白杨树只好眯起眼睛，在太阳下打盹儿。

终于盼到了夜晚。啊，这下可是凉快多了。白杨树伸了伸懒腰，长长吁了一口气，然后仰起头，望向天空。

“啊？那是什么？”

白杨树发现夜空中有一张又大又圆的脸正低着头笑咪咪地看着他。白杨树禁不住伸出手臂想拥抱那圆圆的脸庞。

“告诉我，你是谁？为什么在白天见不到你？”

一直低着头看着白杨树的那张脸笑了。

“我是月亮。我一直都挂在天空，只是因为白天阳光太强，你看不见我罢了。”

哦，看着月亮那清澈明亮的眼神，那笑咪咪的动人的嘴角，白杨树心底真有说不出的喜欢和激动。

“要是每天都能和月亮守在一起，那多好啊！”

就这样，白杨树每个白天都在盼望着夜晚的到来。

不过，这种高兴并没有持续多久。月亮那又圆又大的漂亮面孔慢慢的只露出窄窄的一半；又过了一段时间，月亮的脸竟变得像镰刀一样弯弯的。

怎么会这样呢？白杨树苦恼极了。

月亮似乎察觉到了白杨树的变化。一天夜里，她问白杨树：“白杨树，难道你不喜欢我了吗？”

白杨树忧郁地看了看月亮：“我喜欢的是那个又大又圆的月亮，而不是现在这个下巴尖尖的，脸都小得要看不见了的你。”

“白杨树，其实我还是你心中的那个圆月亮啊！”

可是白杨树根本不信，也不再和月亮说话。云彩飘了过来，月亮看了一眼白杨树，然后就消失在云层里了。

静静地，又过了一段日子。一天夜里，好久不曾抬头仰望的白杨树偶然看了下夜空。

啊！看哪！月亮又与他第一次看见的一模一样，又变得又大又圆。

圆圆的月亮温柔地在向下看，可是白杨树却害羞地闭上了眼睛。

他又高兴又惭愧，心想：“明天……明天我一定要向月亮道歉！”

胎教营养餐：荞麦凉面

原料：

荞麦面适量，熟鹌鹑蛋1只，酱油2大匙，芝麻、冰块、细海带丝、裙带菜、腌菜、纯净水、醋各适量，糖少许。

做法：

1. 荞麦面煮熟，放入冰箱冷藏 2 小时后取出，加少许纯净水和酱油、糖、醋搅拌均匀后装盘。

2. 在荞麦面上撒少许细海带丝，盘边用冰块装饰。

3. 取两小碟，一碟装熟鹌鹑蛋、裙带菜、腌菜，一碟装酱油，撒少许芝麻，作为佐食。

营养提示：孕妈妈常吃荞麦，可以有效预防和治疗孕期高血压。

闪光卡片：胎宝宝学算术（1）

就像学习数字、图形、字母一样，也可以用闪光卡片教胎宝宝学算术，通过深刻的视觉印象，将知识传递给胎宝宝。

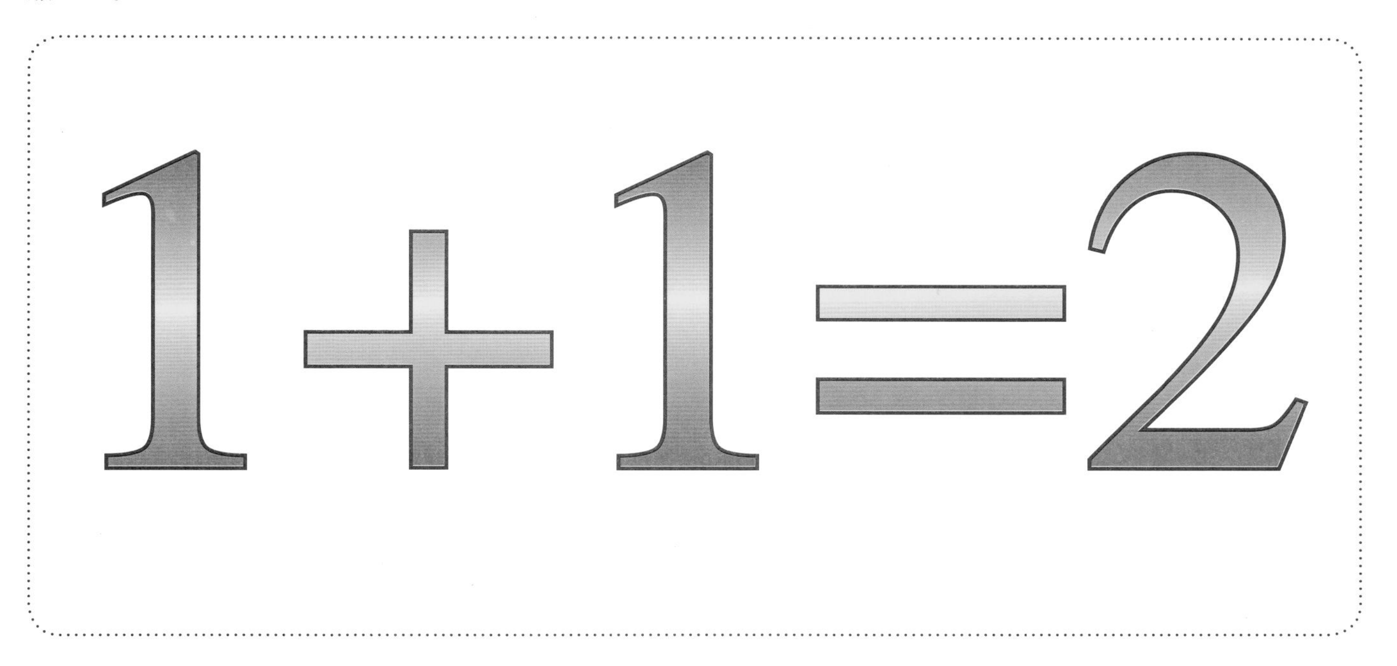

“1”和“2”这两个数字之前都已经学过了，在学习算术之前，可以先把这两个数字复习一下，加强胎宝宝的记忆。

最好的学习算术的方法，就是将闪光卡片和实物结合起来。

比如，“妈妈手里有1个苹果，然后再从篮子里拿出来1个苹果，现在妈妈手中是几个苹果呢？”你要把注意力集中在眼前的苹果和算式上，和胎宝宝一起思考，代替胎宝宝回答“2个”，并传递给胎宝宝。

你可以多用一些实物，多举一些例子，让胎宝宝的印象更深刻。

斯瑟蒂克的提示

用于算术学习的实物，可以是你平时比较喜欢吃的小零食，像小饼干、梅子、草莓……也可以是一些好玩的东西，像小球、小卡通玩偶、小积木块等。

第33周 随时都会出来

报告妈妈：我现在大约有2000克重，身长有45厘米左右。我都开始发胖了，呼吸系统、消化系统发育已基本成熟。而且我的指甲已经长到指尖，但还没有超过指尖。我的脂肪增加了，医生说，如果现在让我降临这个世界，经过精心护理的我已经可以存活了。

对话胎宝宝：再坚持一下吧

宝宝，现在妈妈就可以骄傲地说："还有一个多月啦！"很快很快我们就可以见面了。妈妈也就可以知道你的庐山真面目了，呵呵，你长得会像谁呢？真的很想知道啊！

总是在妈妈肚子里听爸爸妈妈的声音，你是不是也很想见到爸爸妈妈的样子啊，不要着急啊，再坚持一下，我们的愿望就都实现了。

妈妈唱儿歌：铃儿响叮当

胎宝宝最喜欢妈妈的歌声了，孕妈妈要经常给胎宝宝唱歌啊。这首铃儿响叮当，是家喻户晓的圣诞歌，节奏欢快喜庆，赶快唱给胎宝宝听吧！

冲破大风雪，我们坐在雪橇上，
快奔驰过田野，我们欢笑又歌唱，
马儿铃声响叮当，令人精神多欢畅，
我们今晚滑雪真快乐，把滑雪歌儿唱。
叮叮当，叮叮当，铃儿响叮当，
今晚滑雪多快乐，我们坐在雪橇上。

妈妈读书时间

花的学校

下雨的世界，在孩童心里是怎样的呢？一起去看看吧！

当雷云在天上轰响，六月的阵雨落下的时候，

润湿的东风走过荒野，在竹林中吹着口笛。

于是一群一群的花从无人知道的地方突然跑出来，在绿草上狂欢地跳着舞。

妈妈，我真的觉得那群花朵是在地下的学校里上学。

他们关了门做功课，如果他们想在放学以前出来游戏，他们的老师是要罚他们站壁角的。

雨一来，他们便放假了。

树枝在林中互相碰触着，绿叶在狂风里萧萧地响着，雷云拍着大手，花孩子们便在那时候穿了紫的、黄的、白的衣裳，冲了出来。

你可知道，妈妈，他们的家是在天上，在星星所住的地方。

你没有看见他们怎样急着要到那儿去么？你不知道他们为什么那样急急忙忙么？

我自然能够猜得出他们是对谁扬起双臂来：他们也有他们的妈妈，就像我有我自己的妈妈一样。

（泰戈尔）

准爸爸作曲家：给胎宝宝编首歌

胎宝宝总是听到妈妈的歌声，却还没有听过爸爸唱歌呢，也是时候让胎宝宝欣赏一下爸爸的歌声了，准爸爸浑厚的男中音更容易让胎宝宝获得安全感。

准爸爸完全可以发挥自己的创造性，自己编歌词，将对胎宝宝和孕妈妈的爱唱出来，不需要多么优美，只要感情真挚，哪怕是大白话，也能让胎宝宝和孕妈妈开心的。

就像《河东狮吼》里的那首经典曲目，“我是一棵菠菜，菜菜菜菜菜菜……”不也一样让女主角着迷吗？

所以说，有爱才最重要，准爸爸勇敢开唱吧！

下盘棋吧

孕妈妈爱动脑，胎宝宝也会更聪明。所以在闲暇时间，不妨和准爸爸一起下盘棋吧。只要是你喜欢的，什么棋都可以。当然，如果你有兴趣，也可以和准爸爸一起，学习一下从来没有接触过的棋牌游戏，说不定会找到你的兴趣所在。

把对胎宝宝的爱，大声地唱出来！

胎教营养餐：炒红薯泥

原料：

红薯300克，糖、植物油各适量。

做法：

1. 红薯上锅蒸熟，趁热去皮，捣成薯泥，加入糖（按个人口味）。

2. 起锅热油，晃动炒锅，让炒锅各部位都沾上油，防止红薯泥粘锅。

3. 倒入红薯泥，快速翻炒，待翻炒至变色后，即可出锅。

营养提示：红薯香甜、柔软的口味，对孕妈妈来说是一次很不错的味觉之旅。而且红薯有助于孕妈妈营养平衡，也可以帮助胎宝宝更健康地成长。

闪光卡片：胎宝宝学图形（11）

和胎宝宝打声招呼，又要开始图形的学习了。今天要开始学习“正方体”了。

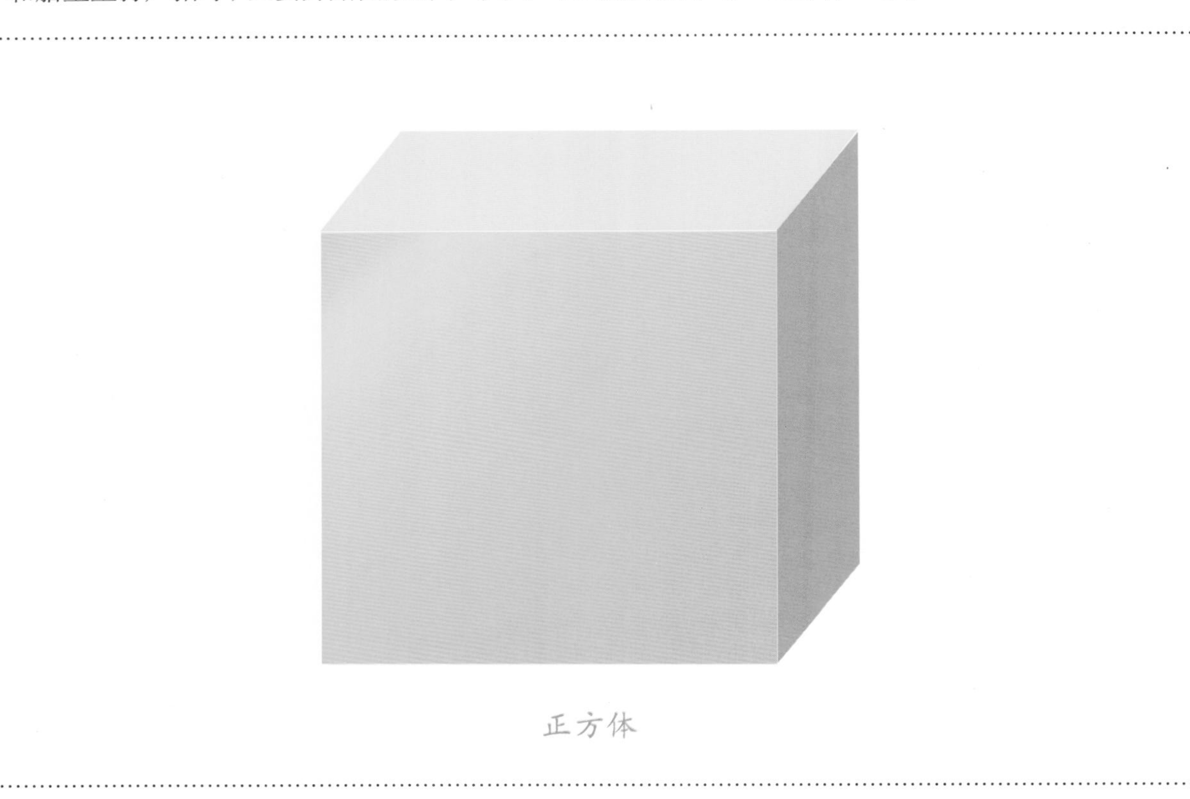

正方体

仔细地看闪光卡片上的图形，这可比以前学过的那些图形复杂了，因为它是由好几个“正方形”组成的立体图形，不过学习方法还是一样，要用手仔细地描摹，先将卡片上图形的形状印在脑海中，让胎宝宝明白图形的形状。

记住了形状之后，就一起找一找，生活中哪些实物也是这种六个面都是“正方形”的“正方体”。“正方体的小积木”“妈妈玩的小魔方”“正方体的整理箱”……再仔细找一找，还会有新的发现。

在这种反复比较的过程中，加强胎宝宝对这个图形的认识。

斯瑟蒂克的提示

喜欢画画的孕妈妈，这个时候也可以用自己的画笔画一些正方体的小图画，和胎宝宝一起欣赏。即使不会画也没关系，充分利用身边的东西，也能取得很好的效果，而且也可以从其他的画册中寻找“正方体”。

欣赏名画：豪家佚乐图

翻看此页，孕妈妈会很快被丰富的画面内容和巧妙的配色所吸引，那就和胎宝宝一起感受一下古代家庭的天伦之乐吧！

这里选取的是清代画家杨晋的《豪家佚乐图》局部，这副画卷描绘了夏日的皇家园林里的游玩景象。画面上最吸引人的无疑就是正在举扇扑蝶的小童了，小小的人儿，穿着红裤子，拿着一面小扇，兴致勃勃地开展他一个人的生物课。

看到这里，孕妈妈是不是希望宝宝能够快点到来，快点长大，好全家一起郊游呢？别着急，这一天很快就会到来的。

闪光卡片：胎宝宝学算术（2）

等待的过程是不是有点漫长呢？曙光在望，要打起精神，继续加油啊。胎宝宝还等着和你一起学习呢。

继续学习一个算式吧。

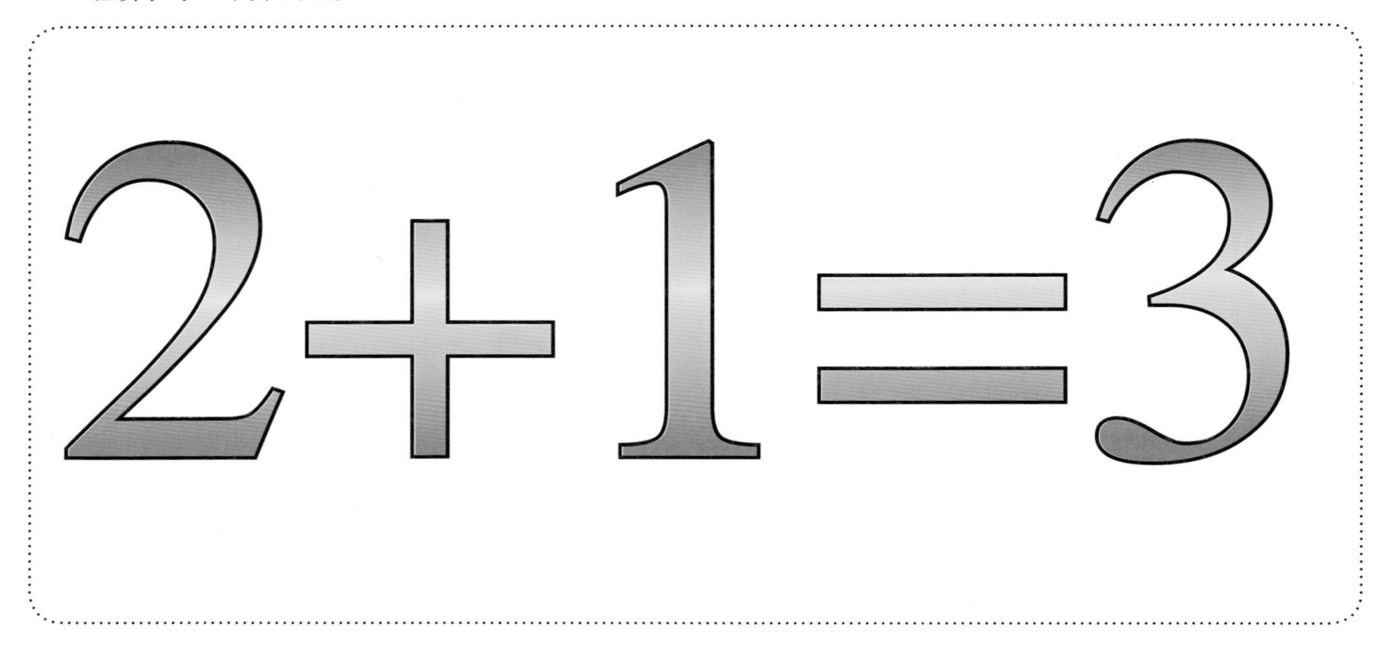

还是“3”以内的算术，“1”、“2”、“3”这3个数字都已经熟悉了，那么它们之间有着怎样的联系呢？孕妈妈要和胎宝宝一起思考，一起想象。

还是将实物与卡片联系起来，可以用身边的小物件举例，也可以利用自己的手指。

先伸出两根手指，“这是2根手指”，“妈妈再伸出1根手指，现在有几根手指了？”孕妈妈可以一边数，一边回答：“1、2、3，现在是3根手指了。”

那么“2+1等于几呢？”“是3对不对。”在说的时候，不要忘了用手指比划着。这样印象会更深。

斯瑟蒂克的提示

孕妈妈不能觉得这种学习很枯燥，如果你自己都没有学习的兴趣，那么即使你按照要求去做了，效果也会很差。你可以多找一些喜欢的小玩意作为辅助工具，以提高自己的兴趣。

第34周 整个倒了过来

报告妈妈：我现在的体重大约2300克，已经为出生做好了准备。我现在整个倒了过来，变成了头朝下。只是我的头骨还很柔软，每块头骨之间有空隙，这是为了出生时能顺利通过产道。

对话胎宝宝：你能听懂我说话吗

宝宝，妈妈今天散步的时候，看见一个刚刚学会走路的小娃娃，挥着小拳头，一路摇摇晃晃的，那样子着实让人担心，但那样子又让人觉得可爱得不得了。妈妈想，你将来学走路的时候，是不是也是这样可爱呢？真的好向往啊！

你能听得懂我说话，对不对，妈妈很想你，你知道吧！

欢乐“音乐浴”

选一首能够让你感觉到快乐的音乐，带上你的胎宝宝，一起享受这份欢快。想象着快乐的音符如波浪一般，有节奏地冲向你，冲走了所有的疲惫、所有的不适，冲来了简单的快乐、温柔的抚触。

想象着音乐就像温泉一样，从你的身体滑过，你身体的每一个细胞都随着音乐节奏，欢畅地呼吸着。

这种感觉是不是很美好，那就尽情地去享受，这是你和胎宝宝独有的秘密世界。

准爸爸讲百科：为什么舌头能尝出味道

胎宝宝现在已经有味觉了，而且他最喜欢的就是甜味，不过为什么舌头能尝出味道呢？准爸爸给胎宝宝讲讲吧。

我们的舌头能尝出味道，是因为舌头上面有一个秘密武器，就是味蕾。味蕾是味觉感受器，舌头上的很多部位分布着味蕾。

当我们吃东西的时候，味蕾就可以把各种味道传输给大脑的味觉中枢，这样我们就能品尝出味道了。

一般小朋友的味蕾比较多，他们的味觉也就更灵敏。所以，宝宝的味觉肯定会比爸爸的味觉更敏锐。

在我的肚子里，一个生命正在茁壮成长，
让我感觉，仿佛拥有了全世界！

妈妈读书时间

春

盼望着，盼望着，你也是抱着这种心情，盼望着你的胎宝宝吧？

盼望着，盼望着，东风来了，春天的脚步近了。

一切都像刚睡醒的样子，欣欣然张开了眼。山朗润起来了，水长起来了，太阳的脸红起来了。

小草偷偷地从土里钻出来，嫩嫩的，绿绿的。园子里，田野里，瞧去，一大片一大片满是的。坐着，躺着，打两个滚，踢几脚球，赛几趟跑，捉几回迷藏。风轻悄悄的，草绵软软的。

桃树、杏树、梨树，你不让我，我不让你，都开满了花赶趟儿。红的像火，粉的像霞，白的像雪。花里带着甜味，闭了眼，树上仿佛已经满是桃儿、杏儿、梨儿！花下成千成百的蜜蜂嗡嗡地闹着，大小的蝴蝶飞来飞去。野花遍地是：杂样儿，有名字的，没名字的，散在草丛里，像眼睛，像星星，还眨呀眨的。

“吹面不寒杨柳风”，不错的，像母亲的手抚摸着你。风里带来些新翻的泥土的气息，混着青草味，还有各种花的香，都在微微润湿的空气里酝酿。鸟儿将窠巢安在繁花嫩叶当中，高兴起来了，呼朋引伴地卖弄清脆的喉咙，唱出宛转的曲子，与轻风流水应和着。牛背上牧童的短笛，这时候也成天在嘹亮地响。

雨是最寻常的，一下就是三两天。可别恼，看，像牛毛，像花针，像细丝，密密地斜织着，人家屋顶上全笼着一层薄烟。树叶子却绿得发亮，小草也青得逼你的眼。傍晚时候，上灯了，一点点黄晕的光，烘托出一片安静而和平的夜。乡下去，小路上，石桥边，撑起伞慢慢走着的人；还有地里工作的农夫，披着蓑，戴着笠的。他们的草屋，稀稀疏疏的在雨里静默着。

天上风筝渐渐多了，地上孩子也多了。城里乡下，家家户户，老老小小，他们也赶趟儿似的，一个个都出来了。舒活舒活筋骨，抖擞抖擞精神，各做各的一份事去。“一年之计在于春”，刚起头儿，有的是工夫，有的是希望。

春天像刚落地的娃娃，从头到脚都是新的，它生长着。

春天像小姑娘，花枝招展的，笑着，走着。

春天像健壮的青年，有铁一般的胳膊和腰脚，他领着我们上前去。

（朱自清）

闪光卡片：胎宝宝学汉字（4）

胎宝宝现在生活在羊水中，就像一条小鱼一样，那么“鱼”这个字要怎么写呢？

孕妈妈要一边正确地念出“鱼”字的发音，一边用手指描摹出它的形状，将“鱼”这个字变成立体形象，印入脑海中，并传递给胎宝宝。可以反复描摹几次，以加深胎宝宝的印象。

“鱼”字最好的学习方法，就是将这个字和具体的形象结合起来。“鱼”是什么样子的呢？如果你家里正好养鱼，就直接指给胎宝宝看。

“这个红色的，肚子大大的，眼睛鼓鼓的，而且还有一条特别漂亮的大尾巴的，叫做金鱼。金鱼不光有红色的，还有橙色的、黑色的、花色的……”

如果家里没有养鱼，也可以找些图片来看，或者干脆到水族馆或花鸟虫鱼店观赏一下。在你不断地讲解中，胎宝宝不仅会对“鱼”这个字更熟悉，也会知道更多关于鱼的知识。

斯瑟蒂克的提示

在进行闪光卡片学习时，除了要学习闪光卡片上的内容，孕妈妈也可以根据实际情况，扩充学习内容，不要拘泥于单一的学习模式，多一些话题，胎宝宝就会多掌握一些知识。

胎教故事袋：终日疲劳的工作

要是我们的眼睛啊、鼻子啊、嘴巴啊有一个突然罢工，那会怎样呢？肯定会乱套吧。

忙碌了一天的美美终于睡着了，可疲惫的黑眼睛、小鼻子、乖耳朵、红嘴巴却怎么也睡不着，他们悄悄议论着。

“美美整天都在娱乐室里看比赛，一刻也不休息，我都快撑不住了。”黑眼睛无精打采地说。

“我也不怎么好。”乖耳朵也开始表示不满，“你知道娱乐室里有多吵？一整天都听着那么大的声音，我感觉火辣辣的。”

“唉，”这时候，红嘴巴叹了口气说，“我一整天都在运动，美美不知哪来那么多话。”

一直沉默的小鼻子这会儿也忍不住了：“哼，我也闻了一整天娱乐室里呛人的味道，还要忍受吹进来的灰尘！”

“休息！”“我们要休息！”最后，大家都表示出共同的渴望。

“既然大家都觉得很累，我看不如这样——以后我们每人都按顺序轮流休息一天，怎么样？”黑眼睛提出一个有趣的想法。

“好啊，这样最好了。”大家都拍手赞同。

新的一天开始了，黑眼睛决定最先休息。可是，黑眼睛一休息，小鼻子、红嘴巴这边马上就乱套了。

“这是什么啊，什么味道？”红嘴巴说。因为她吃到了一个坏苹果。

于是她问小鼻子：“鼻子，难道你没闻出水果已经坏了吗？”

听了这话，小鼻子红着脸说：“怎么能怪我呢？有些细菌根本没有怪味，只有黑眼睛才能辨认出来。”

唉，这一天，小鼻子、红嘴巴和乖耳朵过得都很不愉快。

接下来，红嘴巴、乖耳朵和小鼻子也分别休息了一天。不用说，每天过得都很不愉快。

一天夜里，趁着美美睡觉，黑眼睛、小鼻子、红嘴巴和乖耳朵又聚到了一起。他们发现他们中缺了谁都不行，他们决定还是要好好地在一起努力工作！

斯瑟蒂克的提示

孕妈妈在讲这个小故事的过程中，还可以和胎宝宝一起找一找，哪里是黑眼睛，哪里是红嘴巴，乖耳朵在哪里，小鼻子在哪里，它们都有什么功能呢？

还要告诉胎宝宝，我们平时要好好保护它们，不让它们感到难受，不然它们是要罢工的。

闪光卡片：胎宝宝学图形（12）

休息好了吗？做做深呼吸，调整一下自己的注意力，开始学习一个新的图形吧。

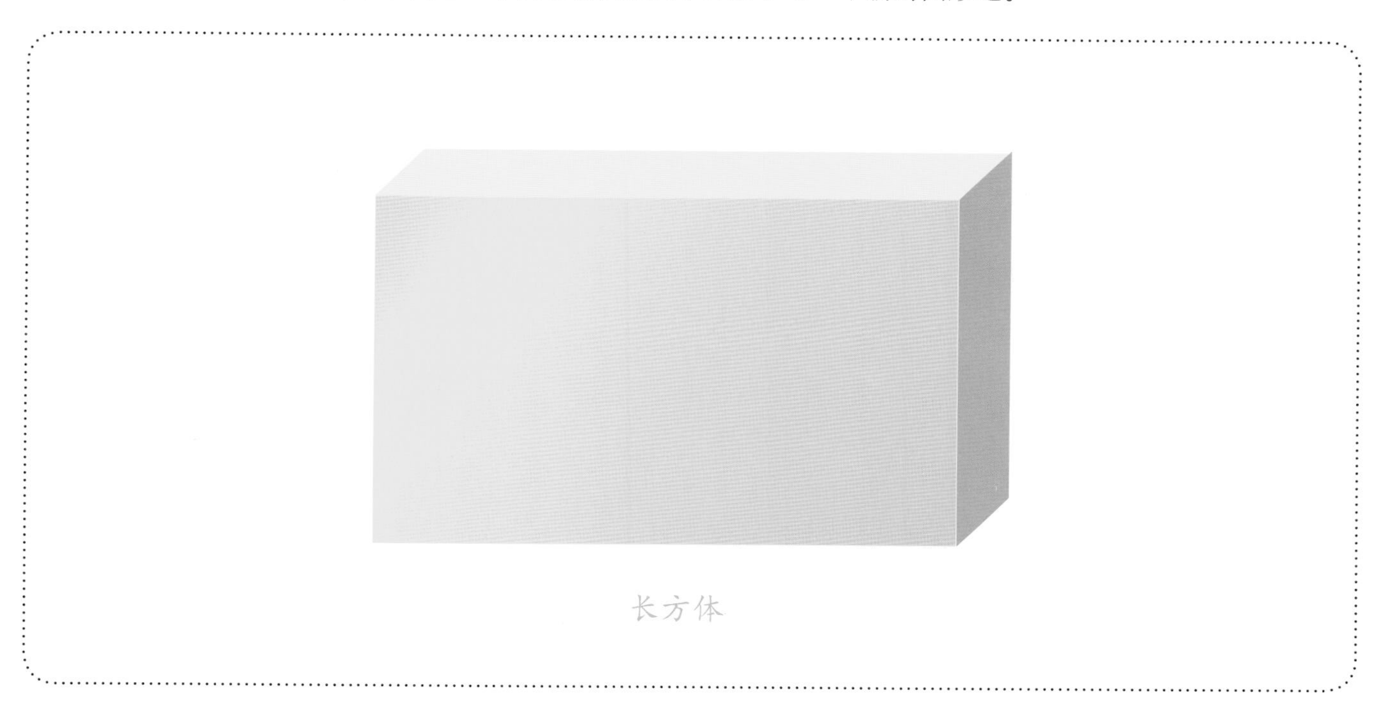

这个图形就是“长方体”，它是什么形状呢？在脑海里描绘一下，然后用手指仔细地描摹，想象着将这个图形慢慢地印在脑海中，并把它传递给胎宝宝。

接下来看一看，“我们周围有和卡片上的图形一样的东西吗？是什么呢？一起找一找！”

“妈妈的首饰盒”“装饼干的小铁盒”“长方体的积木块”“妈妈的鞋盒”“妈妈手中的书”“大大的衣柜”……生活中长方体的东西实在是太多了，孕妈妈可以多和胎宝宝讲一讲，这样印象才会更深，对宝宝将来认识物体也有很好的帮助。

斯瑟蒂克的提示

孕妈妈给胎宝宝举例子的时候，可以将生活中这些实物的用途也讲给胎宝宝听，还可以和胎宝宝谈一谈，这些盒子上面的图案以及里面装的东西等。

孕妈妈不要拘泥于一种固定的胎教模式，任何时候，做任何事情，都可以通过对话的形式进行胎教。

第35周 现在就可以出生了

报告妈妈：我现在已经很胖了，体重有2500克，身长也达到了44厘米左右，这都是妈妈的功劳哦。我现在的皮下脂肪发育得还不错，出生后就可以很好地调节体温了。可是我的中枢神经还没完全发育成熟，不过肺部发育已经基本完成了。我要是现在就出生的话，存活的可能性有99%呢。而且我的听力已经发育完善了，爸爸妈妈要继续和我说话哦！

对话胎宝宝：你也着急了吧

宝宝，你喜欢妈妈和你讲的那些外面世界的故事吗？你每天都在妈妈肚子里挥手挥脚地动，是不是在告诉妈妈，你很想亲眼看一看外面的世界呢？不过，还是要再等待一下，就剩40多天了，要和妈妈一起加油啊！

选一首你喜欢的曲子

胎宝宝又开始在你肚子里顽皮了吧，和胎宝宝一起听音乐吧，你会感觉到胎宝宝也会安静下来和你一起听。

你可以在我们赠送的音乐CD中，挑一首你和胎宝宝都喜欢的曲子，重复地放来听。胎宝宝还是很喜欢听熟悉的音乐的。听熟悉的音乐会让你和胎宝宝之间的互动更明显。

斯瑟蒂克的提示

孕妈妈在听音乐的时候，要始终坚持这样的信念："胎宝宝也在和我一起认真地聆听，我能感受到的美好，他也能够体会到，他和我一样，也非常喜欢那些美妙的音乐形象。"这样可以更好地培养胎宝宝的感受性。

准爸爸的"见面礼"

胎宝宝很快就要出生了，准爸爸是不是要准备点小礼物呢？这就需要准爸爸费点心思了。

你可以发挥自己的特长，亲手制作一些小礼物，比如一个小木马，一个小摇篮或者是一个小陀螺。当然，如果你觉得这些都太难了，也可以自己制作一张小卡片，写下你对宝宝的爱和希望，或者制作一本小相册，记录下宝宝的成长经历……

只要是你用心去准备的礼物，不管是什么，相信小宝宝都会很喜欢的，最主要的是你爱他，并且能够表达出你的这份爱。

民间儿歌大荟萃

胎宝宝现在的听力已经发育很完全了，孕妈妈可以多学几首儿歌，念给胎宝宝听。你还可以把自己小时候听过的儿歌讲给胎宝宝，这些民间儿歌中，蕴含了很多民间的智慧或道理。

摇摇船

摇，摇，摇，
摇到外婆桥，
外婆叫我好宝宝。
请吃糖，请吃糕，
糖啊糕啊莫吃饱。
少吃滋味多，多吃滋味少。

新年到

新年到，放鞭炮，
噼噼啪啪真热闹。
耍龙灯，踩高跷，
包饺子，蒸甜糕，
奶奶笑得直揉眼，
爷爷乐得胡子翘。

小燕子

小燕子，真灵巧，
身上带把小剪刀；
上天剪云朵，
下河剪水波；
剪根树枝当枕头，
剪块泥巴搭窝窝。

小鸭子

小鸭子，一身黄，
扁扁嘴巴红脚掌。
嘎嘎嘎嘎高声唱，
一摇一摆下池塘。

小木盆

小木盆，
圆又圆，
坐上木盆下东淀，
打了莲蓬一串串，
剥莲子儿，
做香饭，
先给爹娘敬一碗。

摘月亮

宝宝别哭闹，
摘颗月亮与你玩，
再把你轻轻摇，
摇到梦里的小桥边。
桥上有小王子，
小王子点灯笼，
再去拜访小月亮。

星星和月亮

月亮姑姑要睡觉，
星星在旁边不停地闹，
吵得月亮睡不着，
所以整夜睁着眼。

斯瑟蒂克的提示

孕妈妈在念这些儿歌的时候，要充满感情，不断地变换自己的语调，让胎宝宝更好地了解儿歌的内容。同时要将儿歌里表现出来的有趣形象，在脑海里形成具体的影像，以便更好地传递给胎宝宝。

闪光卡片：胎宝宝学汉字（5）

我们每天都要进门、出门、开门、关门，那“门”字怎么写呢？一起学习一下吧！

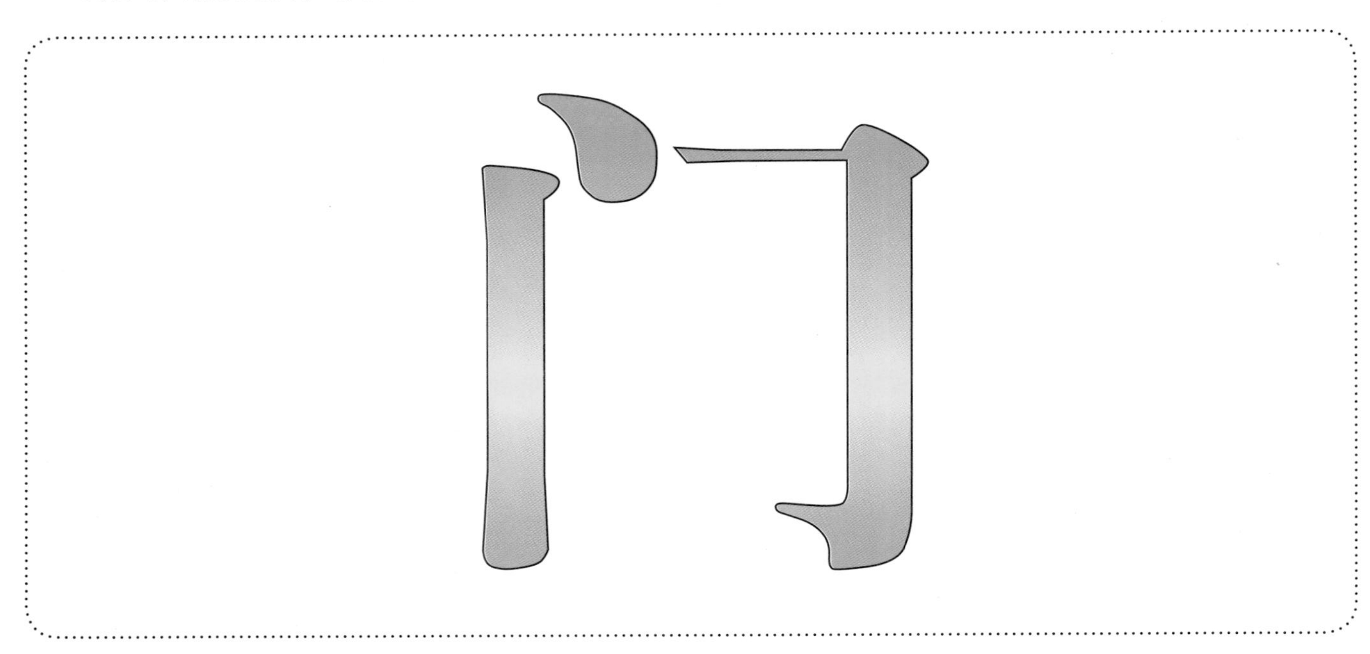

首先还是要调整呼吸，将注意力集中在这个字上面，用手指描摹它的形状，将这个字的形状印入脑海中，并且慢慢体会将这个字传递给胎宝宝的过程。

这个“门”字组合很简单，感觉就像一个大框子，头上还斜插了一朵花。

我们生活中有很多门，“卧室的门”“厨房的门”“柜子的门”……看看这些门都有什么特点呢？是不是都像一个大框子，而且中间空空的？就是因为中间是空的，所以我们才能很顺利地进出。

不管是柜子、屋子、房子、车子还是院子都会有门的，而且门的形状有很多，汽车的车门就和屋门不一样，它的形状很奇怪，有些车的车门打开就像一双翅膀；还有很多公园、动物园的门形状也很奇怪，不过它们都叫做“门”。

斯瑟蒂克的提示

孕妈妈可以多给胎宝宝举些例子，将生活中随处可见的门指给胎宝宝看，还可以准备一些照片或图片，加深胎宝宝的认知。

民间艺术欣赏：剪纸

作为一项中国传统民间艺术，剪纸以讲究的刀法、玲珑剔透的纸感语言和强调影廓的造型著称，趣味横生，赏心悦目。接下来，孕妈妈就带着胎宝宝一起感受下咱们中国剪纸艺术的美妙精巧吧！

这幅剪纸作品中，一个小童手举一颗宝珠，身后翱翔着一条小螭龙，小童面相淡定聪慧，与螭龙的张牙舞爪形成了强烈对比。

看过之后，孕妈妈给这幅剪纸起个名字吧！“童子戏龙”？“乘龙仙童”？呵呵，是不是叫“望子成龙”更符合准爸妈的心意呢？

闪光卡片：胎宝宝学算术（3）

一天、两天……你肯定又在计算预产期的天数了吧，还是不要过于着急，静下心来，继续进行闪光卡片的学习吧。

今天要学习一个新的算术题啦！

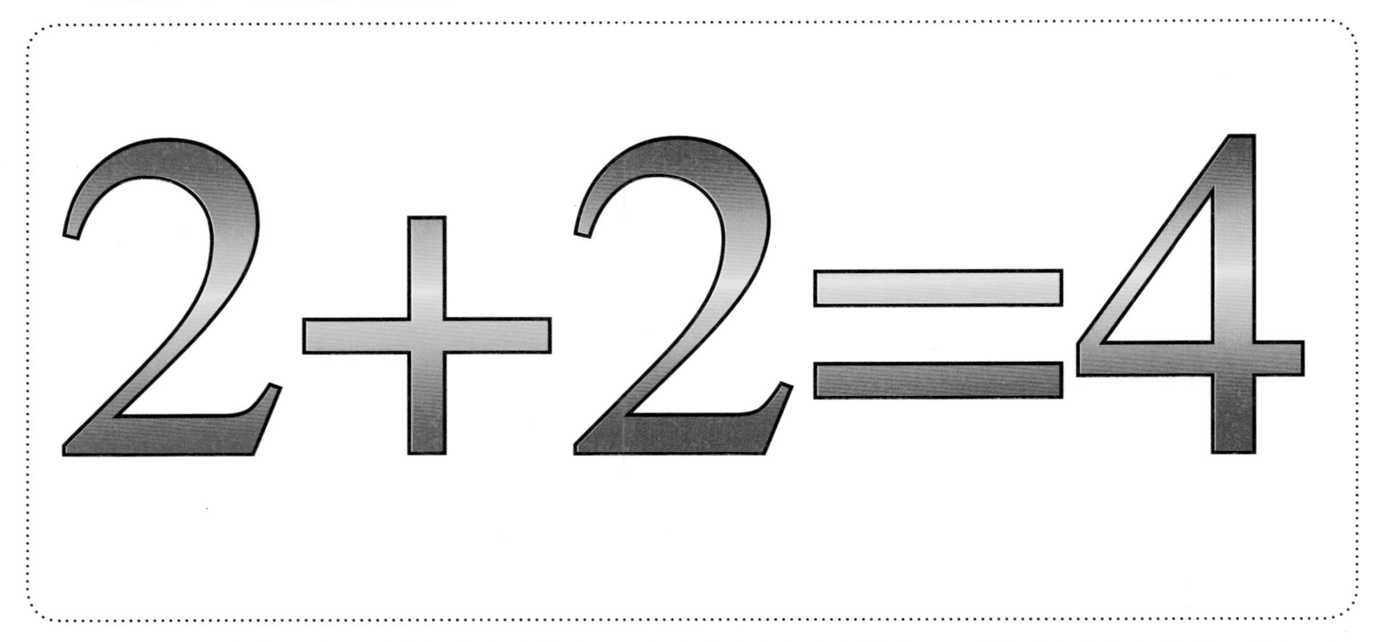

“2+2=4”，孕妈妈要在头脑中记住这个算式，一边准确地读出这个算式，一边用手在卡片上描摹，重复几次，让胎宝宝对这个算式的形象更明确。

还是采用老方法来学习，用生活实物来举例。

“妈妈有1块饼干，再拿1块，现在妈妈手里就有2块饼干了，那我再拿过来2块饼干，现在是多少块呢？”“1块、2块、3块、4块，总共是4块，对不对？”“也就是2块饼干加上2块饼干，就等于4块饼干了”……

类似这样，多举几个例子，身边可以利用的实例很多，而且手指也是最好的算术工具。

第36周 圆滚滚的

报告妈妈：我现在又胖了一些，已经有2800克左右重了。我的肾脏已经发育完全了，肝脏也能够开始处理一些废物了。而且只要我现在一动，我的手肘、脚丫或者头都可能在妈妈的肚子上突现出来，妈妈的肚子也会跳舞了。不过我现在不是很爱动了，我也要提醒妈妈，从现在开始每周都要做一次产检了，千万不能偷懒哦！

对话胎宝宝：这是你的新家

宝宝，妈妈今天要告诉你一个好消息。爸爸妈妈已经把你的小房间收拾好了，有一个漂亮的婴儿床，上面挂了很多叮叮当当的小玩具，将来你可以随意拉着玩。妈妈还专门给你买了一个蚕砂的枕头，听说这种枕头清心明目、清热去燥，对小宝宝特别好，不知道你会不会喜欢呢？

妈妈真希望马上就能看到你躺在这个小床里冲我笑，那该多幸福啊！

斯瑟蒂克胎教音乐：水上音乐

孕妈妈如果感到有些疲劳了，不妨听一听这首由著名作曲家亨德尔创作的《水上音乐》吧，这首曲子在本书赠送的音乐CD中就能找到。

音乐中有碧波荡漾的泰晤士河韵味，既朴实优美，又富有个性。而且在音乐的最后，又能给人一种坦然自若、逍遥自在的感觉。

妈妈读书时间

诱惑

读一读这篇妈妈所写的散文，也许你更能体会到做妈妈的幸福和伟大。

你们想在我的针线筐里寻找什么颜色都可以找到。因为里头有各种颜色的毛线团。当我正在痊愈的儿子睡着的时候，我一面守着儿子睡觉，一面开始在窗前做毛线活儿。

十一月的黄昏无限美好。今年有一些黄昏有些凉爽，但大多数黄昏天气温和，美妙而明亮。我偷偷地望望窗外，路边的花草树木多诱人啊！棕褐色带刺的枝条上缀着一串串白花金雀花，仿佛把全世界的金颗粒都散落了下来。

据说杨树随风摇动时会唱歌。树林该是多么美丽！绿色的麦浪有多好看！今晚的月亮一定很圆，就像一块巨大的金牌。整个原野也一定飘散着青草、露水、月亮、柳树……宜人的芳香！

我可以起誓，肯定有一个声音从飒飒作响的竹子的高冠上对我们招呼：

“你不来吗？”

但是我不能像从前那样跑出去在野外的路上游荡了。现在，我必须安心地坐在窗前为我的小宝宝织衣服。现在，我不能分心去猜测风儿、河水、树林在说什么，我必须记住佩罗和斯切雷萨达的故事，好讲给我的儿子听，让他开心。

……

开始从大路旁的大蕉树后面升起的月亮好大哟！

（胡安娜·伊瓦沃罗）

准爸爸讲百科：不倒翁为什么不倒

大家小时候肯定都玩过不倒翁，动来动去的就是不倒，而且还总是笑眯眯的，特别可爱。可是不倒翁为什么不倒呢？这个问题还是要拜托准爸爸解答了。

不倒翁之所以不倒，就是因为不倒翁的整个身体都很轻，只有在它的底部有一个比较重的东西，有的是铅块，有的是铁块，这样一来它的重心就很低了。

另一方面，不倒翁的底部面积很大而且很光滑，非常容易摆动。

当不倒翁向一边倾斜时，由于它和桌面的接触点发生变化，重心和接触点就不在一条线上了，这时在重力的作用下，它就会绕着接触点摆动，使它恢复原来的位置。

不倒翁倾斜的程度越大，它恢复原位的趋势也就越显著，所以不倒翁是永远推不倒的。

一道智力题：爱因斯坦的谜题

孕妈妈现在是不是觉得懒懒的，什么都不想去思考，这个时候可千万不能偷懒啊。孕妈妈爱动脑，才能更好地促进胎宝宝的智力发育。所以一起做道智力题，开发开发智力吧。

这是爱因斯坦在20世纪初出的谜题。在一条街上，有5座房子，喷了5种颜色。每个房子里住着不同国籍的人，每个人喝不同的饮料，抽不同品牌的香烟，养不同的宠物。

请问：谁养鱼？

提示：

1. 英国人住红色房子。
2. 瑞典人养狗。
3. 丹麦人喝茶。
4. 绿色房子在白色房子左边隔壁。
5. 绿色房子主人喝咖啡。
6. 抽 Pall Mall 香烟的人养鸟。
7. 黄色房子主人抽 Dunhill 香烟。
8. 住在中间房子的人喝牛奶。
9. 挪威人住第一间房。
10. 抽 Blends 香烟的人住在养猫人的隔壁。
11. 养马人住在抽 Dunhill 香烟的人隔壁。
12. 抽 Blue Master 的人喝啤酒。
13. 德国人在抽 Prince 香烟。
14. 挪威人住在蓝色房子隔壁。
15. 抽 Blends 香烟的人有一个喝水的邻居。

（答案见164页）

闪光卡片：胎宝宝学图形（13）

孕妈妈现在的肚子越来越圆了，越来越像一个圆滚滚的大球。今天的闪光卡片，我们就学习“球形”吧。

孕妈妈要注意看卡片上的图形，将“球形”的形状印在脑海中，并清楚准确地读出它的名称。

生活中球形的东西太多了，“爸爸的篮球”“宝宝的玩具球”“球形的小闹钟”“圆圆的小灯泡”“妈妈的大肚子”“球形的音乐盒”，还有一些妈妈喜欢吃的小零食，比如核桃、李子、杏……

要充分利用这些实例，加深胎宝宝的理解。

斯瑟蒂克的提示

孕妈妈在举这些例子时，也可以用手去摸摸它们，感受一下它们圆圆的、饱满的形状，并且借助语言将这种感觉传递给胎宝宝。这样会让胎宝宝对这个图形以及这些实物有更好的理解。

树木怎么会写信呢？这到底是怎么回事，孕妈妈和胎宝宝一起去看看吧。

在一个低矮的山坡上，有一棵好大好大的银杏树。

春天到了，太阳公公笑眯眯地拍着银杏树，贴着它耳朵说："乖孩子，别睡了，现在该发芽了！"

过了一天又一天，在太阳公公的看护下，可爱的银杏树终于穿上了绿色的新衣，一身绿装的银杏树变得可美丽了。

到了夏天，银杏树几乎每天都和太阳公公在一起。不知不觉间，树叶已经长到像小松鼠的手掌那么大了。

现在的银杏树可威武呢！它在山坡上高高地耸立着，简直就是一位威风凛凛的大将军！

慢慢的秋天来了，银杏树也在一天一天的变化着。它渐渐卸下美丽的绿装，换上了一身金灿灿的黄衣。

一天，风伯伯轻轻拍拍银杏树说："你看，那边山上来信了，不过这信可没有署名字。"

"瞧，"银杏树看着风伯伯递过来的叶子信，笑着说，"它好像娃娃的手掌，又这么红，不用说，一定是枫树妹妹给我写来的，我得看看她在信里说了些什么。"

红枫树在信里写了好多有趣的故事。在旁边悄悄藏着看信的蓝尾巴鸟也快乐地拍起翅膀来。风伯伯在一旁禁不住呵呵呵的笑……

不久，风伯伯又送来一封椭圆的、红艳艳黄灿灿的信，银杏树又马上猜到：那一定是小淘气——柿子树的信！

信一封接一封地来，银杏树一封接一封地读，风伯伯就这样一天天传递着大树们的欢乐与友爱……

斯瑟蒂克的提示

孕妈妈在讲这个故事的时候，要把故事中的语言形象化，银杏树像花瓣一样的叶子，秋天里一身金色的银杏树是怎样的漂亮，枫树和银杏树有什么区别，红色的像娃娃手掌那样大的枫叶是什么样的，柿子树又是什么样子呢……

将这些形象一一印在自己的脑海中，并清晰地传递给胎宝宝。

闪光卡片：胎宝宝学算术（4）

今天的闪光卡片，我们要学习一道新的算术题。

调整好呼吸了吗？注意力集中了吗？开始学习啦！

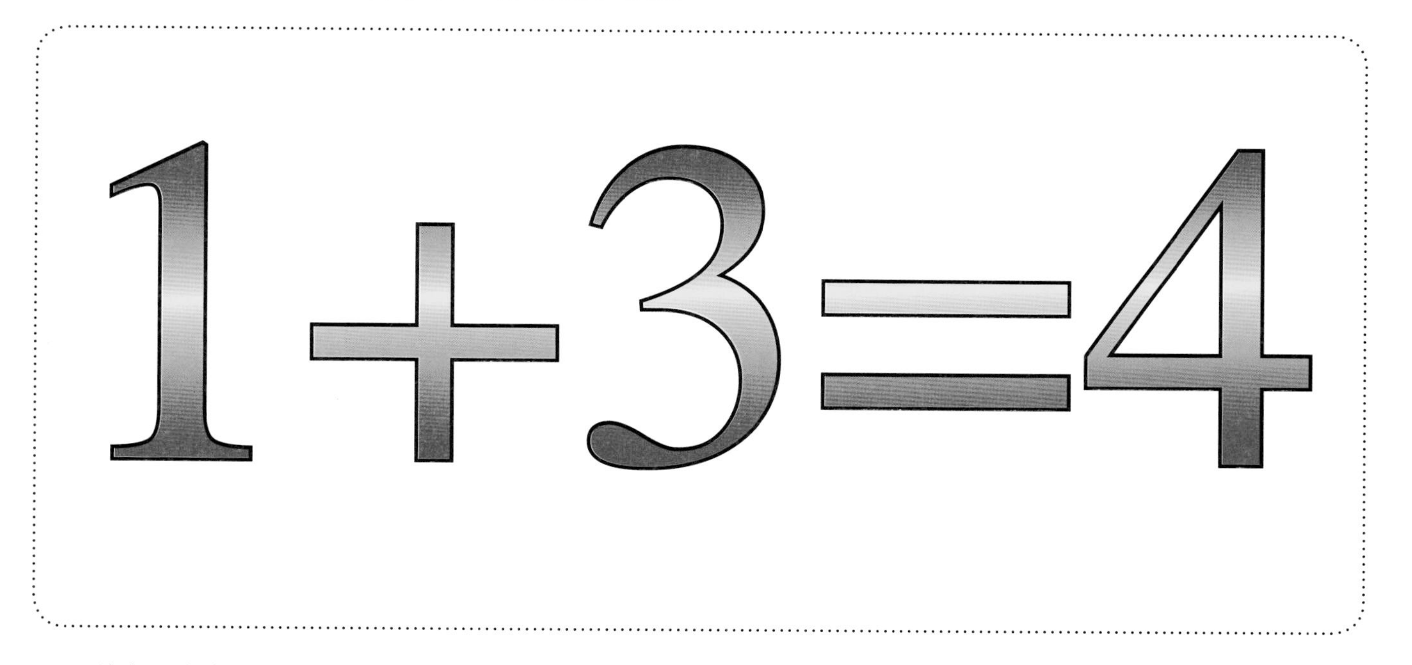

首先要先在形象上对这个算式有所认识，用手描摹它们的形状，并且不断地重复“1+3=4”。这种形象记忆可以先让胎宝宝熟悉这个算式。

然后再进行讲解，进行理解性记忆。

依然是用最简单的学习方法——举例子。“桌子上有1个杯子，妈妈又拿过来3个杯子，这时候桌子上有几个杯子呢？”孕妈妈要和胎宝宝一起思考，一起数一数，并代替胎宝宝回答，“4个”。然后再重复一下，“很正确，1个杯子再加上3个杯子就是4个杯子，1+3=4。”

也可以多举些例子，反复记忆，有利于胎宝宝的理解和记忆。

斯瑟蒂克的提示

孕妈妈可以把结果等于4的算式都找出来，并写在一张纸上，“1+3=4，2+2=4，3+1=4”，分别再用同样的方法复习一下这些算术，这种复习可以达到巩固记忆的目的。

第37周 已经是足月儿了

报告妈妈：到这周末，我就是足月儿了，我随时都有可能出生的，妈妈可要注意喽。我现在差不多3000克重，妈妈的负担又重了吧，妈妈现在要注意休息哦，提前做好迎接我的准备吧！

对话胎宝宝：你有名字了

宝宝，妈妈又有一个好消息要告诉你了，你的名字终于确定了。为了给你起名字，还真是全家总动员，大家都给你想了好多的名字，都希望一个好名字能带给你好的福气。最可爱的是你的爸爸，连做梦都在给你取名字呢，等你出生后，一定要好好谢谢爸爸啊。

用熟悉的音乐安慰胎宝宝

幸福的孕程接近尾声，到了最后一个月真是让人既兴奋又不安啊，胎宝宝也会有这样的感觉。那么，就一起听一曲熟悉的音乐，或者哼唱一首熟悉的歌吧。

熟悉的旋律会唤起孕妈妈和胎宝宝的共鸣，这种感应会让你们忘记不安和焦虑，进入美妙和谐的世界。

你也可以想象着将来哄小宝宝入睡的情形，温柔地哼唱一首歌，和你的胎宝宝一起慢慢入眠。

妈妈读书时间

蒲公英做了一个梦[6]

你是不是又梦到了胎宝宝呢？梦中你们在做些什么呢？肯定很温馨很甜蜜吧。刚好，蒲公英也做了一个梦，它又梦到了什么呢？

一

蒲公英，蒲公英
蒲公英做了一个梦
梦见它变成一颗星
一颗最亮的星
一颗最美的星
闪在银河中
早上的风来捞珍珠
捞起了星星
捞起了星星做别针
做呀做
做成一根银别针

送给太阳吧
太阳好脸红
为什么？为什么？
也许明天要定亲
也许明天要定亲
太阳戴上了银别针
亮晶晶，亮晶晶
谁也看不清

呀呀呀
蒲公英做了一个梦

二

蒲公英，蒲公英
蒲公英做了一个梦
梦见它变成了一朵云
一片最白的云
一片最轻的云
飘在蓝天中
晚上的风来采棉花
采到了白云
采到了白云做纱裙
做呀做
做成了一条长纱裙

送给月亮吧
月亮爱干净
为什么？为什么？
可能今天要结婚
可能今天要结婚
月亮换上了长纱裙
迷蒙蒙，迷蒙蒙
谁也看不清

嗯嗯嗯
蒲公英做了一个梦

（顾城）

准爸爸的“甜言蜜语”

宝宝快要出生了。准爸爸要抓住这个时期，多和宝宝说些甜言蜜语啊，让宝宝知道你有多爱他，你是多么的为他骄傲，多么的盼望着他的到来，这些甜言蜜语会让胎宝宝与准爸爸更亲密的。

此外，准爸爸也不能忘了多和孕妈妈说些甜言蜜语啊，这也很重要哦！

宝宝唐诗好多首

孕妈妈有时间可以多给宝宝吟诵几首唐诗，感受一下唐诗中所描绘的那种美好景象。

绝句	春晓	鸟鸣涧	越女词五首（其三）
迟日江山丽，	春眠不觉晓，	人闲桂花落，	耶溪采莲女，
春风花草香。	处处闻啼鸟。	夜静春山空。	见客棹歌回。
泥融飞燕子，	夜来风雨声，	月出惊山鸟，	笑入荷花去，
沙暖睡鸳鸯。	花落知多少。	时鸣春涧中。	佯羞不出来。

斯瑟蒂克的提示

在吟诵的过程中，别忘了也要将这些诗句转换为“画的语言”，传递给胎宝宝啊。

闪光卡片：胎宝宝学汉字（6）

孕妈妈肯定和胎宝宝讲过那些漂亮的花吧，那“花”这个字要怎么写呢？孕妈妈带着胎宝宝一起学习一下吧。

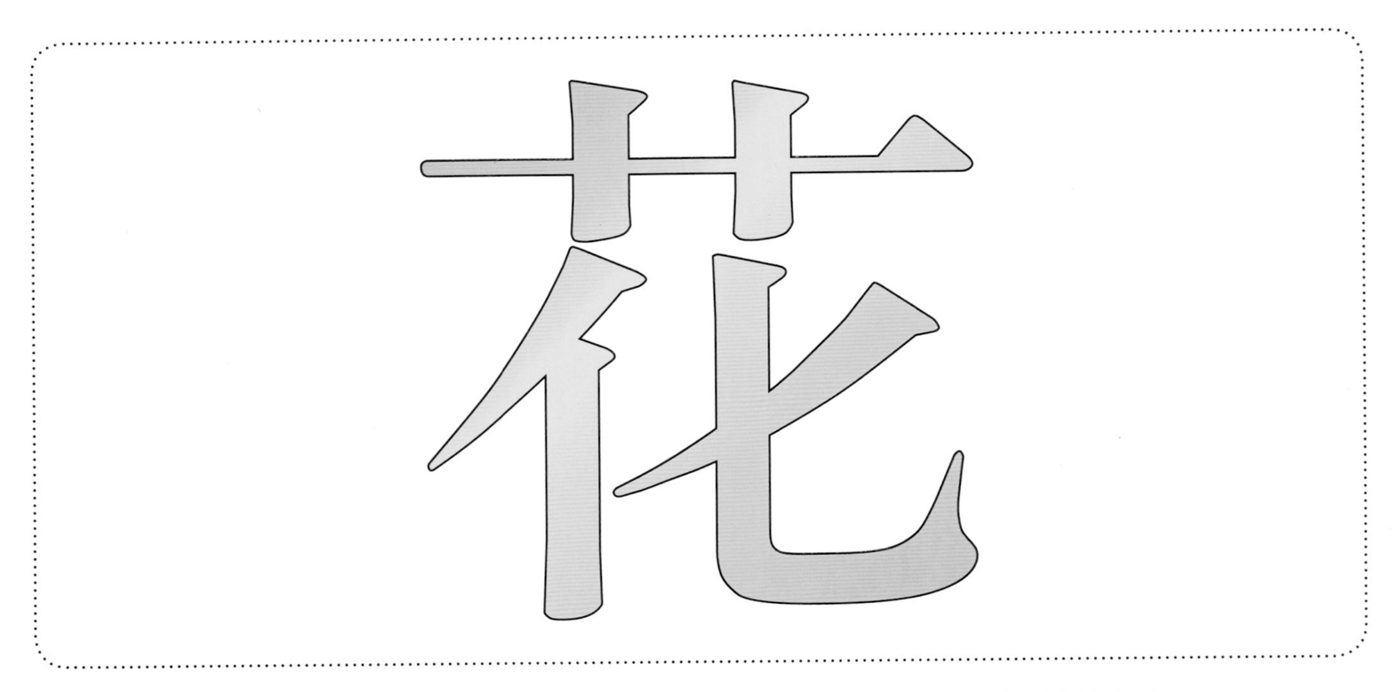

“花”这个字上面的部分像不像一个小草帽呢，有了这顶草帽的装饰，整个字也漂亮许多了。

这个字有一点点复杂，所以孕妈妈更要集中注意力啊。

我们生活中可以找到很多“花”，除了盛开的各式各样的鲜花，还有“茶杯上的花纹”“妈妈衣服的花边”“风景画里的点缀”“花形的小饰品”“雕花的巧克力”……

只要你善于发现，我们生活中和“花”相关的还有很多呢，带着胎宝宝一起找找吧。

斯瑟蒂克的提示

孕妈妈可以对所举的例子，进行一些解说和描述，这样“花”这个字在你的印象中就更鲜明了，胎宝宝也更容易接受。

天使宝宝照片

你的小宝宝就要出生了，这时候更要多看一些美好的、能够让你获得幸福感的东西。

这几张照片中的小宝宝，是不是有些像你想象中的胎宝宝呢？

那清澈的眼神、可爱的小鼻子、胖嘟嘟的小脸蛋，不都是你在心底默默期盼的吗？

闭上眼睛，静静地想象，你的胎宝宝是不是正在笑？继续用你深深的爱呵护他的成长吧！

闪光卡片：胎宝宝学算术（5）

深呼吸，把注意力转过来，今天我们要学习算术了。

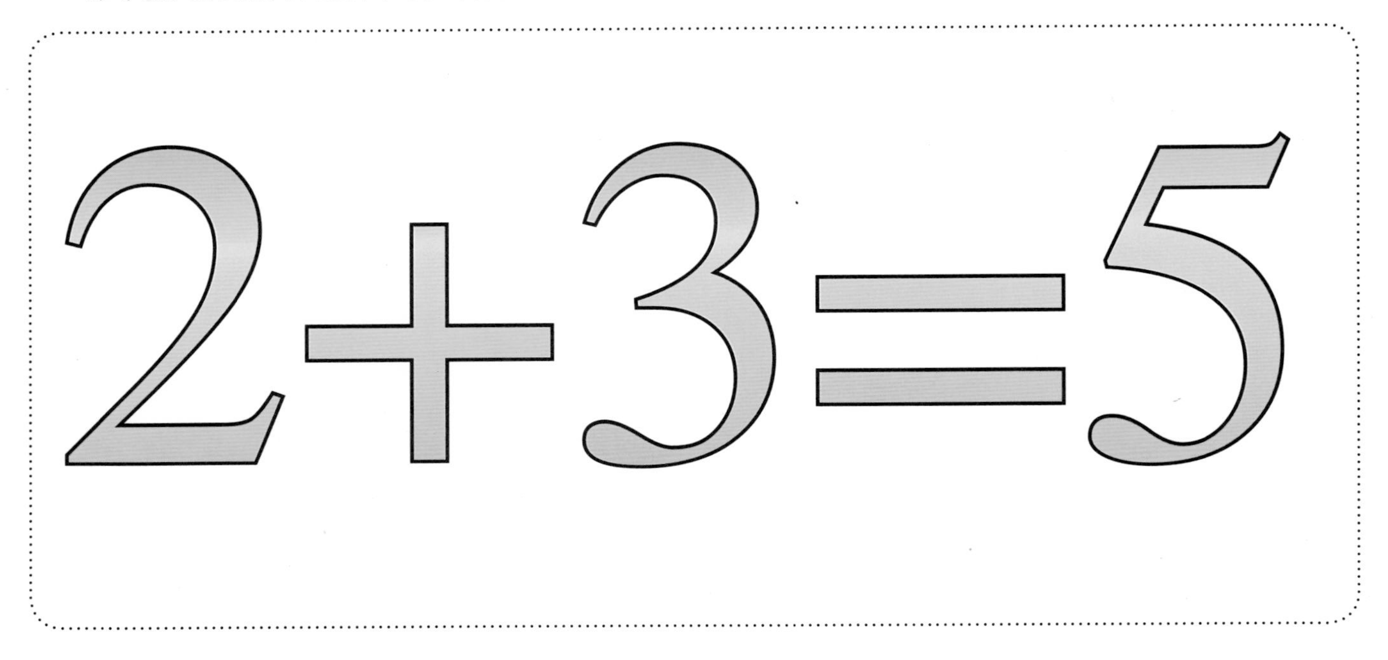

“2+3=5”，“2、3、5”这三个数字都熟悉了吧，那这三个数字会有怎样的联系呢？

孕妈妈要和胎宝宝一起思考这个问题，并且要举一些实例，让胎宝宝更明白。

“妈妈有2朵小红花，宝宝有3朵小红花，妈妈把自己的2朵小红花送给了宝宝，那宝宝现在有几朵小红花了呢？”孕妈妈带着胎宝宝一起数一数，“1、2、3、4、5，宝宝现在总共有5朵小红花了。”

“那么2+3等于多少呢？ 2+3=5对不对。”然后孕妈妈要用肯定的语气再说一遍，肯定这个答案。

斯瑟蒂克的提示

学习算术时，孕妈妈要用启发性的语言进行学习，在提问的时候，要代替胎宝宝思考这个问题，并且代替胎宝宝给出肯定的答案，并将这些提问、思考以及回答传递给胎宝宝。

第38周 摆来摆去的小脑袋

报告妈妈：现在我都已经有3200克重了，身长也长到了47厘米左右。我的小脑袋在妈妈的骨盆腔里一直摇摆着，不过周围有骨盆的骨架保护，我很安全的，妈妈不用担心啊。我身上原来覆盖着的一层细细的绒毛和大部分白色的胎脂逐渐脱落、消失，皮肤变得很光滑了。这些物质还有其他分泌物都被我随着羊水一起吞进肚子里，贮存在我的肠道中，变成了黑色的胎便，在我出生后的一两天内就会排出体外。妈妈这时候要更加密切关注自己身体的变化哦。

对话胎宝宝：咱们一起加油

宝宝，妈妈现在开始有点紧张了，也有一点点的焦虑，既盼望能够早点见到你，又有点害怕分娩时的疼痛，妈妈是不是有点胆小啊，宝宝不要笑妈妈啊。

不过，妈妈还是很坚强的，只要能让你顺利地降生，那些疼痛也算不得什么，妈妈一定会努力，一定会坚持不懈的。宝宝，要给妈妈加油啊，我们一起努力吧！

斯瑟蒂克胎教音乐：G大调小步舞曲

孕妈妈此时是不是有点紧张呢，放松一下，听一首轻松的音乐，也许就不再焦虑了。

这首曲子在本书赠送的胎教音乐CD中就能找到，它是巴赫于1796年创作的。小步舞曲旋律优美，中速，节奏平稳，风格典雅、明快、轻巧，让听者的心中产生一种荡漾感。

斯瑟蒂克的提示

孕妈妈在听这首曲子时，可以想象着你和胎宝宝正伴随着乐曲的旋律翩然起舞，在音乐和幻想中放松自己。

胎教营养餐：鲶鱼炖茄子

原料：

鲶鱼1条，紫长茄子4条（可根据人多少加减），植物油、葱段 、蒜瓣（拍碎）、姜丝、酱油、盐 、黄酱各适量。

做法：

1. 起锅热油，葱段、蒜瓣、姜丝炝锅，炝出香味后放酱油、黄酱爆锅。

2. 加水，放茄子、鲶鱼，水量以没过茄子为好。大火烧开，转小火炖40分钟，再大火收汁，加盐后出锅装盘。

营养提示：鲶鱼营养丰富，具有强精壮骨和益寿作用，特别适合产前以及体弱虚损、营养不良的人食用。

准爸爸讲百科：吃饭之后为什么容易困

离预产期越近，准爸爸是不是越觉得有事情要准备啊，感觉一下子有点手忙脚乱的，焦急的心情一点不亚于孕妈妈。不过准爸爸的胎教课程还是要继续的，胎宝宝还等着你呢。

今天就给胎宝宝解释一下，为什么人吃饱饭之后总是容易犯困呢？

那是因为，我们人体内的血液分配是遵循"多劳多得"的原则。当我们吃饭的时候，为了使我们的肠胃更好更充分地消化吸收食物，血液主要会集中在肠胃系统，在这个过程中，流经大脑的血液相对减少，因此就很容易犯困了。

一直到饭后30~40分钟，精神状态就会慢慢好起来，人也就不犯困了。

做几个促进分娩的运动

为了迎接分娩，孕妈妈最好在预产期之前14天开始练习分娩促进运动，这样将有助于顺产。

划腿运动

用手扶椅背，右腿固定，左腿做360度转动（画圈），还原，换腿做。早晚各做5~6次。

腰部运动

用手扶椅背，慢吸气，同时手臂用力，脚尖立起，腰部挺直，然后慢慢呼气，手臂放松，脚还原。早晚各做5~6次。

抬腿运动

自然站立，将一条腿用力提至离地面45度，脚腕稍微向上翻。换腿，重复做。

154页答案

挪威人住黄房子，抽Dunhill，喝水，养猫；丹麦人住蓝屋子，抽Blends，喝茶，养马；英国人住红屋子，抽Pall Mall，喝牛奶，养鸟；德国人住绿屋子，抽Prince，喝咖啡，养鱼；瑞典人住白屋子，抽Blue Master，喝啤酒，养狗。

所以答案是：德国人养鱼。

闪光卡片：胎宝宝学汉字（7）

虽然预产期将至，但是还是要将胎教进行到底的，这个时候胎宝宝各个器官的发育都很完善了，正是胎教的好时机。

那就趁这个机会再学习一个汉字吧。

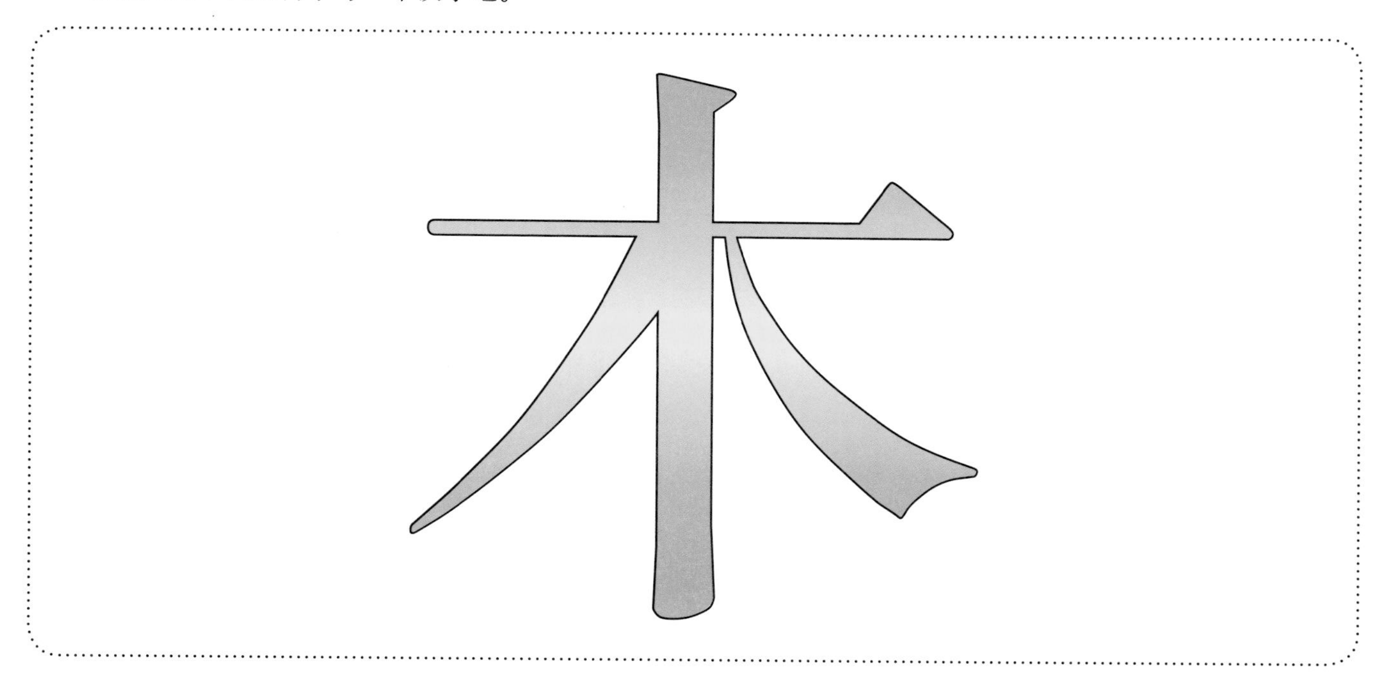

"木"，孕妈妈要将注意力集中到卡片上了，看一下"木"这个字是怎样的形状，是不是像一个穿着撑裙的小人儿呢？

这个"木"字在生活中还是很常见的，比如"木地板""木制的餐桌、椅子""木制的衣柜""爸爸送给宝宝的小木马"……这些都是木制的，都和"木"有关系。

孕妈妈在这样讲解的同时，可以用手去触摸这些被提到的物品，体会一下它们的手感，描述一下它们的样子，通过视觉、触觉、听觉以及在头脑中形成的具体形象，一并传递给胎宝宝。

斯瑟蒂克的提示

孕妈妈要准确读出这个字的发音，并且要用手描摹这个字的形状，将它的形状和颜色，通过视觉转化为具体的形象，印在脑海中，传递给胎宝宝。

胎教故事袋：小熊的请帖

给胎宝宝讲一个小故事吧，和胎宝宝一起在童话世界中放松一下。

春天来了，小熊睡了一个冬天的懒觉后，醒来了。这么美的春天，他要举办一次宴会！于是，小熊写了好多好多请帖，请布谷鸟散发给森林里的朋友们。

终于到了开宴会的这一天。一大早，朋友们就开始向森林正中的大岩石旁聚集。

小兔子一蹦一跳地跑过来。“小熊，我怕晚了，急急忙忙地跑了不知有多久！”小兔子气喘吁吁地对小熊说。

“嘿，你们好吗？”突然，树后传来一个憨憨的声音，把小熊和小兔子吓了一跳。原来是漂亮的梅花鹿正笑咪咪地躲在大树后！一直在大树上东张西望的小松鼠趁机跳下来，问小熊：“大家都来了吗？”

小熊还没来得及回答，就听不远处传来一阵吵嚷——“我来了，我来了！”“还有我呢！”……就见小猪、小猴子、小蜜蜂……都快快乐乐地赶来参加小熊的宴会。

可是，就在动物们举行宴会时，在远处的花、树、草等植物朋友却一点儿也不高兴，因为他们虽然也收到了小熊的请帖，却不能亲自走到岩石旁去参加宴会——这是多么让人烦恼的事啊？栎树爷爷看到大家难过的样子，笑呵呵地说：“好了，好了，不能走、不能飞又怎样？我们一样可以举办宴会！”

在森林中心的大岩石旁，动物们都聚在一起。而在他们身边更近或更远的地方，数不尽的花啊、草啊、树木啊，拥抱着温暖的阳光，亲吻着清新的空气，与白云一同起舞，与风儿一起歌唱，整个森林顿时变成了欢乐的海洋！

斯瑟蒂克的提示

孕妈妈在给胎宝宝讲这个故事时，可以和胎宝宝一起玩一个“找不同”的游戏，找一找动物和植物有什么不同。比如动物会自己跑或者跳，还会发出声音，但是植物不会动也不会自己发出声音等。

仔细找一找，这将会是一堂非常生动的自然知识课。

闪光卡片：胎宝宝学算术（6）

到了现在，孕妈妈是不是被即将见到宝宝的兴奋感包围着？平静一下，还是继续胎教课程吧，再学一个6以内的算术。

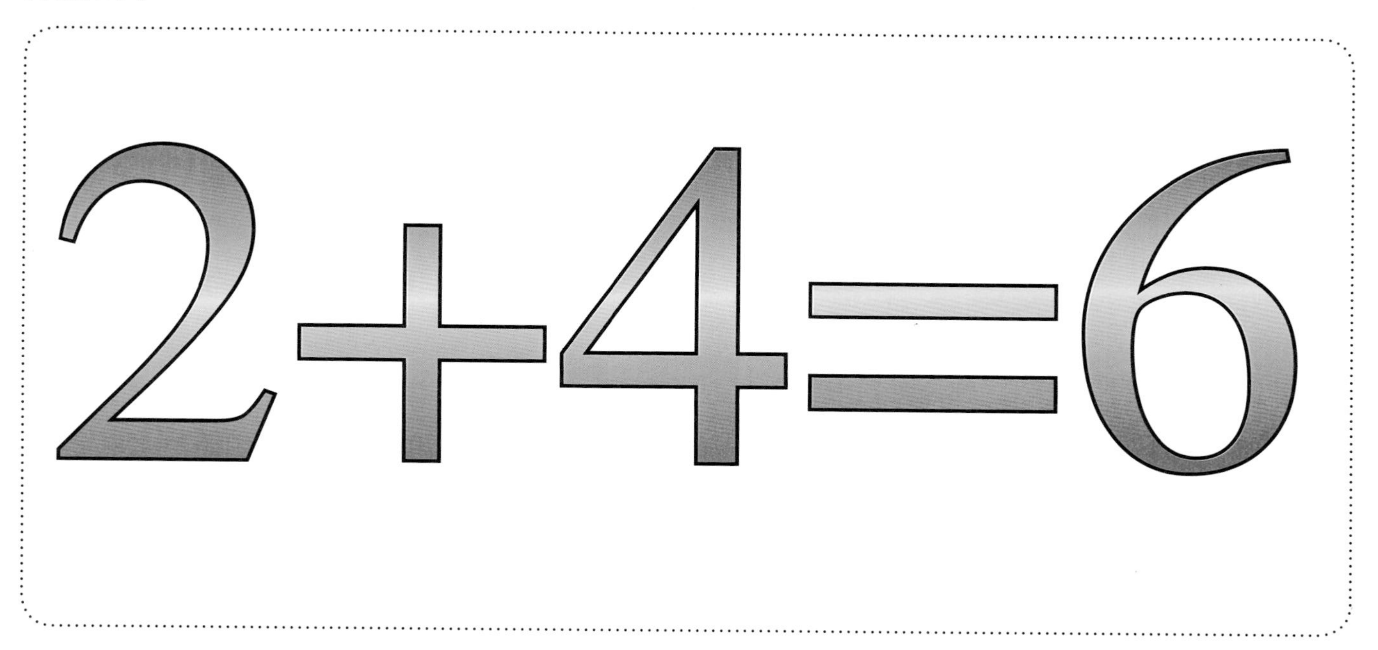

首先还是要先将这个算式印入脑海中，将它视觉化之后传递给胎宝宝，先给胎宝宝以视觉的印象，为了加深这种印象，孕妈妈重复读几次这个算式，并用手反复地描摹。

然后继续语音教学，“2+4=？”和胎宝宝一起认真地思考，在思考过程中可以用手指数一数，得到明确的答案，代替胎宝宝回答“6”。

斯瑟蒂克的提示

孕妈妈可以借助实物来讲解，一切你可以看到的并且方便讲解的都可以充分利用。

“家里本来有2把椅子，后来爸爸又买了4把，现在家里有几把椅子了呢？”和胎宝宝一起数一数，“1、2……6”，有6把椅子了，所以2+4=6。类似这样的例子，可以多举几个。

第39周 发育完全啦

报告妈妈：我现在体重是3200~3400克，仍在继续长肉肉和储备脂肪，身体各器官，除了肺要在出生后几个小时建立起正常的呼吸模式外，其他的都已经发育完成了。我的头部已经固定在妈妈的骨盆中，所以不太爱活动了，更多的是向下运动，妈妈要做好随时迎接我的准备哦！

对话胎宝宝：坚持就是胜利

还有一周，妈妈就要见到我亲爱的宝宝了，就要告别烦人的腰酸背痛腿抽筋了，我一直和自己说："坚持啊，你要再坚持！"是说给自己听，也是说给你听的。做产前鉴定的时候医生说，如果保持这个胎位到预产期，顺产没问题。我好高兴啊！宝宝，听见了吗？你要和妈妈一起加油啊！

冥想——平复紧张情绪

想到将要面临分娩，孕妈妈或多或少都有一定的心理压力，做一次冥想，放松一下吧！

选择一个安静舒适的环境，采用适合自己的舒服的坐姿，把意念集中到呼吸上。

在身体高度放松，呼吸细长、缓慢、平稳、有节奏的状态下，想象你正坐在或躺在一个美丽的湖边，那柔软的草地上，微风轻拂，空气湿润清新。吸气时想象你在吸收着阳光和大自然的能量，呼气时想象身体内的污浊之气排出体外。

做完这次冥想，孕妈妈是不是感觉舒服很多呢？

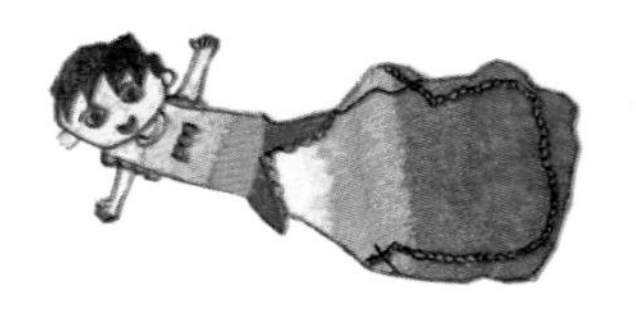

妈妈唱儿歌：春天在哪里

这首歌，最适合孕妈妈现在唱给胎宝宝听，属于孕妈妈的春天，很快就要到来了啊！

春天在哪里呀
春天在哪里
春天在那青翠的山林里
这里有红花呀
这里有绿草
还有那会唱歌的小黄鹂
嘀哩哩哩嘀哩哩嘀哩哩哩
还有那会唱歌的小黄鹂
春天在哪里呀春天在哪里
春天在那小朋友眼睛里
看见红的花呀看见绿的草
还有那会唱歌的小黄鹂
嘀哩哩哩嘀哩哩嘀哩哩哩
还有那会唱歌的小黄鹂

斯瑟蒂克的提示

孕妈妈可以根据自己的意愿改编歌词，比如"宝宝在哪里啊，宝宝在哪里"之类的，只要你唱着开心，只要能传递你对胎宝宝的爱，怎样唱都可以。

准爸爸的临产准备

就要迎来预产期了，准爸爸要准备的不单是待产包，还要安排好产前产后的护理工作，处理好自己的工作时间。如果准备和孕妈妈一同进产房，记得要做好以下准备：

好言好语。鼓励、赞美、感激、调侃……给孕妈妈信心的同时，分散她对疼痛的注意力，即使她反应过激也千万不要介意，因为那的确不容易。

助产食品。在阵痛的间隙及时给孕妈妈补充水和食物，保证她在关键时刻有力气。

玩数独吧

数独游戏有趣又益智，孕妈妈开动脑筋，肚子里的胎宝宝大脑神经和细胞的发育也会因此受益！

数独游戏规则

1. 数独游戏在 9×9 的方格内进行，分为 3×3 的小方格，被称为“区”。

2. 数独游戏首先从已经填入数字的格子开始。

3. 每个格子只允许有 1 个数字，最后保证每个区、每一列、每一行，都是 1~9 这 9 个数字，不能重复，即每个数字在每一行、每一列和每一区都只能出现一次。

7			2	5			9	8
		6					1	
			6	1		3		
9					1			
				8		4		9
		7	5		2	8		1
	9	4			3			
				4	9	2	3	
6	1						4	

答案见176页

174页答案

游戏1

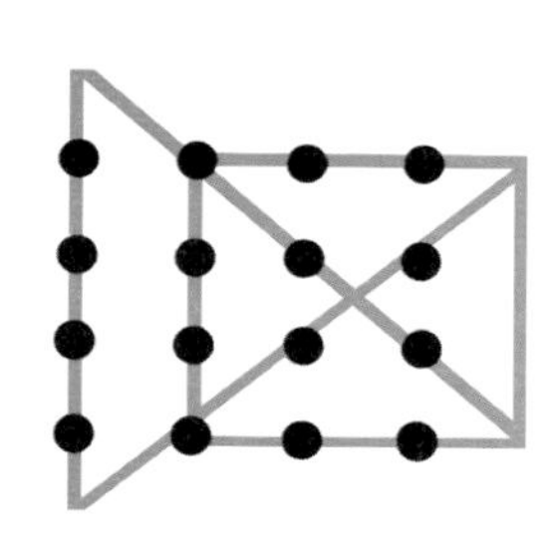

游戏2

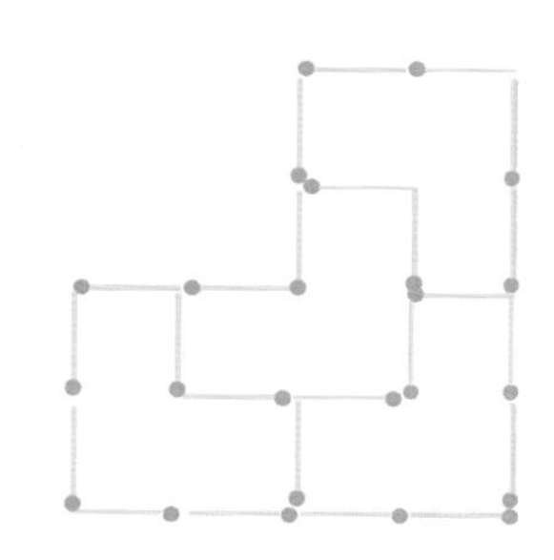

闪光卡片：胎宝宝学汉字（8）

喝一口温开水，然后就开始今天的学习吧！告诉胎宝宝：今天要学的是“水”字，也是胎宝宝熟悉的一个字。

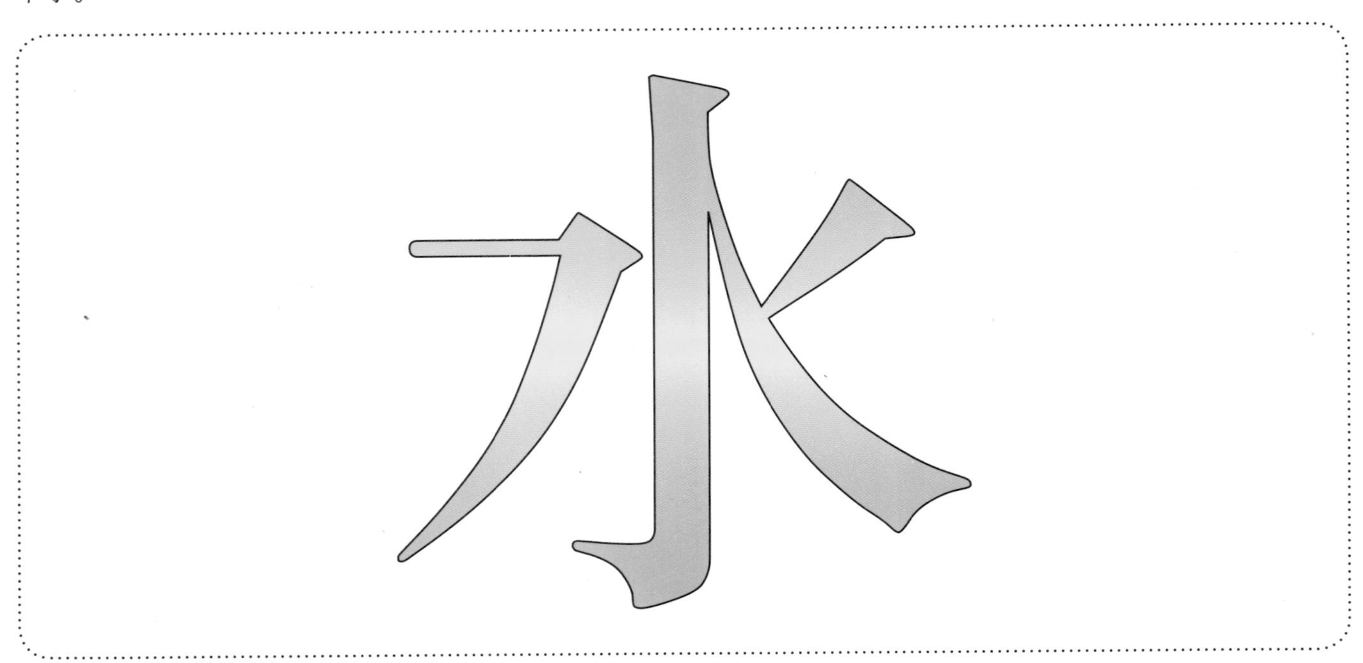

“水”字构造比较曲折，孕妈妈细心看卡片上的字体构造，用心并且用手指去描这个字，做到你的头脑里只有这个字的时候，告诉胎宝宝这个字念“水”。多次重复读音。

什么是水？就是眼前这杯无色无味的液体吗？是的，它就是。

端起你眼前的水杯，用眼端详，用鼻子辨味，用嘴去感觉，还可以倒一点在手上，告诉胎宝宝你体验到的感觉。

还有一样别忘了，胎宝宝是泡在妈妈的羊水里的，孕妈妈问问胎宝宝：“宝宝，你的周围就是水，明白了吧？”

斯瑟蒂克的提示

孕妈妈还可以打开水龙头，听听流动的水的“哗哗”声，把手放在水龙头上感觉一下。厨房里的酱油、汤羹都含有水，液体饮料里含有“食用水”，西瓜、橘子、西红柿等蔬果里含有“汁水”，阳台上的植物，它们翠绿的叶子需要及时“浇水”……

欣赏名画：四时果实图

即将迎来期待已久的第40周了，孕妈妈此时的身体就和心情一样充满了收获的期待吧：希望满怀，幸福满怀。在这幅《四时果实图》里，是不是品出不一样的意味呢？

此画是清代花鸟大家赵之谦的《四时果实图》系列之三。葫芦的叶子和果实笔墨厚朴，花朵却设色浓艳，构图疏密对比强烈，题识书法亦古拙厚重，体现了赵之谦金石气浓郁、个性强烈的典型画作风格。

这种沉甸甸的收获感，不正是孕妈妈此刻的情怀写照吗？

闪光卡片：胎宝宝学算术（7）

经过之前的算术学习，孕妈妈已经很有经验了，今天我们继续学习一个算式吧！

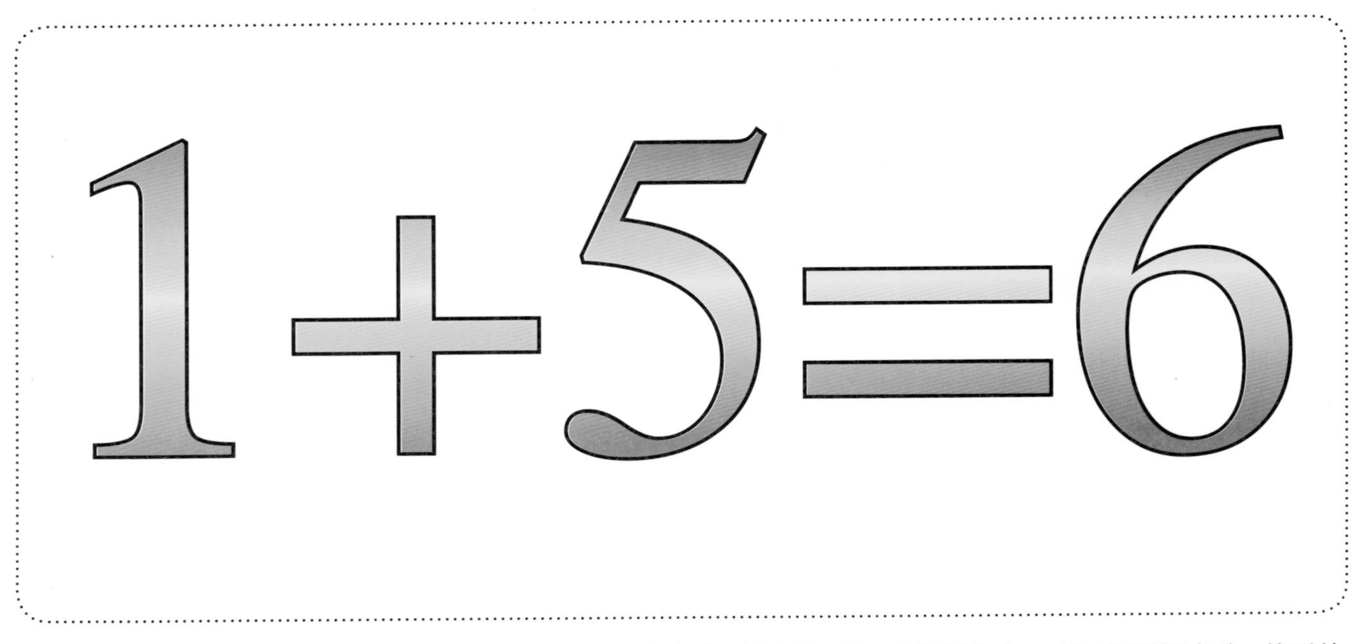

学习算术，从实物开始学习是最形象的做法。先从卡片开始记忆吧！孕妈妈先花一点时间凝视卡片，然后给胎宝宝讲解这个算式的含义。

用手指是最简单的方法了。孕妈妈伸出一个手指，这个代表“1”，另一只手掌伸出，带着胎宝宝一起数一数，“1、2、3、4、5，总共有5根手指，它就代表5。”

那么这一只手掌的“5”根手指，再加上另一只手掌上的“1”根手指，是多少？

孕妈妈和胎宝宝一起想：“宝宝，1个再加5个，是多少？……是6！对吗？正是6，没错！”

斯瑟蒂克的提示

充分利用家里其他物件，扑克牌、小饼干、小豆子等再次演算这个算式。这样会加深学习的印象。

第40周 终于要见面了

报告妈妈：我将在这周出生，不过也可能会推迟几天才出生，妈妈别担心啊！现在妈妈要注意的是保持心情愉快，信心满满。随时照看好妈妈的重任，就交给爸爸啦！

对话胎宝宝：期待温暖的对视

妈妈等这一天，等了好久好久，一想到可以真真切切地看着你，可以实实在在地感受你，妈妈就不会顾虑分娩的疼痛，心中就充满了勇气。相信你会给妈妈力量去面对，宝贝，妈妈和你永远在一起。

斯瑟蒂克胎教音乐：梦幻曲

古典音乐在整个孕期都是胎宝宝重要的精神食粮，今天推荐的是德国作曲家舒曼的钢琴曲《童年情景》中的第七首《梦幻曲》。

《童年情景》回忆的是童年时光的内容，不但为儿童所写，也是为成人而作。《梦幻曲》主题简洁，抒情动人，充满儿童生活中的瑰丽幻想，旋律几经跌宕起伏，婉转流连，使听众不知不觉间进入缥缈奇幻的天使国度。

斯瑟蒂克的提示

孕妈妈在听这首曲子的时候，放松自己，尽情展开想象，将这首曲子带给你的美好意境用想象力展现出来，让胎宝宝和你一同游览音乐所营造的梦幻世界。

妈妈读书时间

孩子的世界

孩子的世界是怎么样的呢？孕妈妈和胎宝宝一起在诗人的作品中感受一下吧！

我愿我能在我自己孩子的世界的中心，占一角清净地。

我知道有星星同他说话，天空也在他面前垂下，用它傻傻的云朵和彩虹来娱悦他。

那些大家以为他是哑的人，那些看去像是永不会走动的人，都带了他们的故事，捧了满装着五颜六色的玩具的盘子，匍匐地来到他的窗前。

我愿我能在横过孩子心中的道路上游行，解脱了一切的束缚；

在那儿，使者奉了无所谓的使命奔走于诸王的王国间；

在那儿，理智以她的法律做成纸鸢而放飞，真理也使事实从桎梏中自由了。

（泰戈尔）

准爸爸讲百科：电灯是谁发明的

给我们提供照明的电灯是谁发明的呢？准爸爸今天就讲讲电灯的故事吧！

在电灯发明以前，人们普遍使用煤油灯或者煤气灯，麻烦又很不安全。很多科学家都想发明一种既安全又方便的照明工具来改善人们的照明条件。

美国科学家爱迪生分析了当时的煤气灯和弧光灯，决心发明一种价钱便宜、经久耐用，而且安全方便的电灯。为了实现这个目标，他常常在实验室里一天工作十几个小时，尝试用过1600多种不同的耐热材料做实验，终于在1879年发明了世界上第一盏白炽灯。

爱迪生是真正使电灯大放光明的人，但是他并不满足，继续探索更耐用的电灯。1906年，爱迪生又有了新发现：钨丝比之前的竹炭丝更能改进灯丝的照明质量。从那以后，我们使用的灯泡就用钨丝做灯丝了。

斯瑟蒂克的提示

讲这则知识的时候，准爸爸可以用室内的电灯或者小灯泡作为道具给胎宝宝进行演示。

小游戏：连线和摆火柴

孕妈妈是不是又感觉有点闷了？一起来玩两个小游戏，放松放松吧！

游戏1：连线

下面这幅图有16个点，你能不能用一笔将它们连接起来？注意线条不能重复。

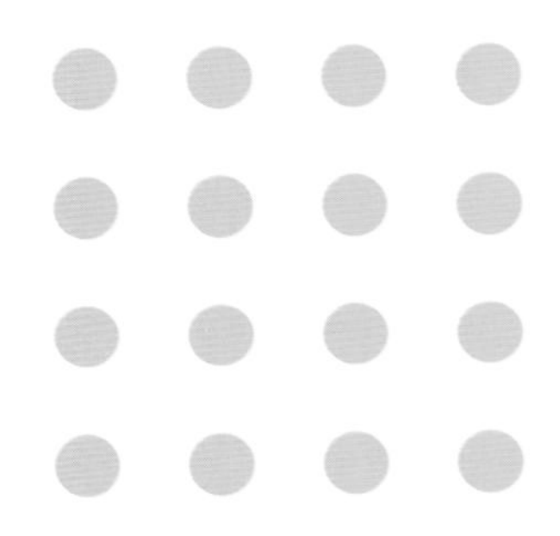

游戏2：摆火柴

在下面这幅图的基础上，如果再给你8根火柴，如何将现有的图分成形状完全相同，面积又完全相等的4个部分？

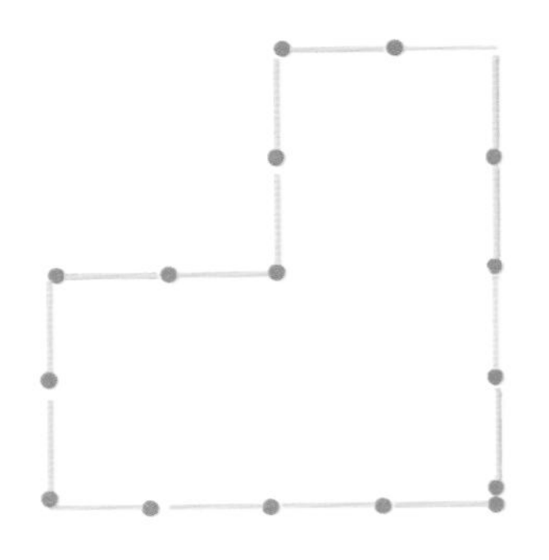

答案见169页。

闪光卡片：胎宝宝学汉字（9）

又到了学汉字的时间了，孕妈妈和胎宝宝都准备好了吗？今天要学一个表示身体部位的字，就是“舌”。

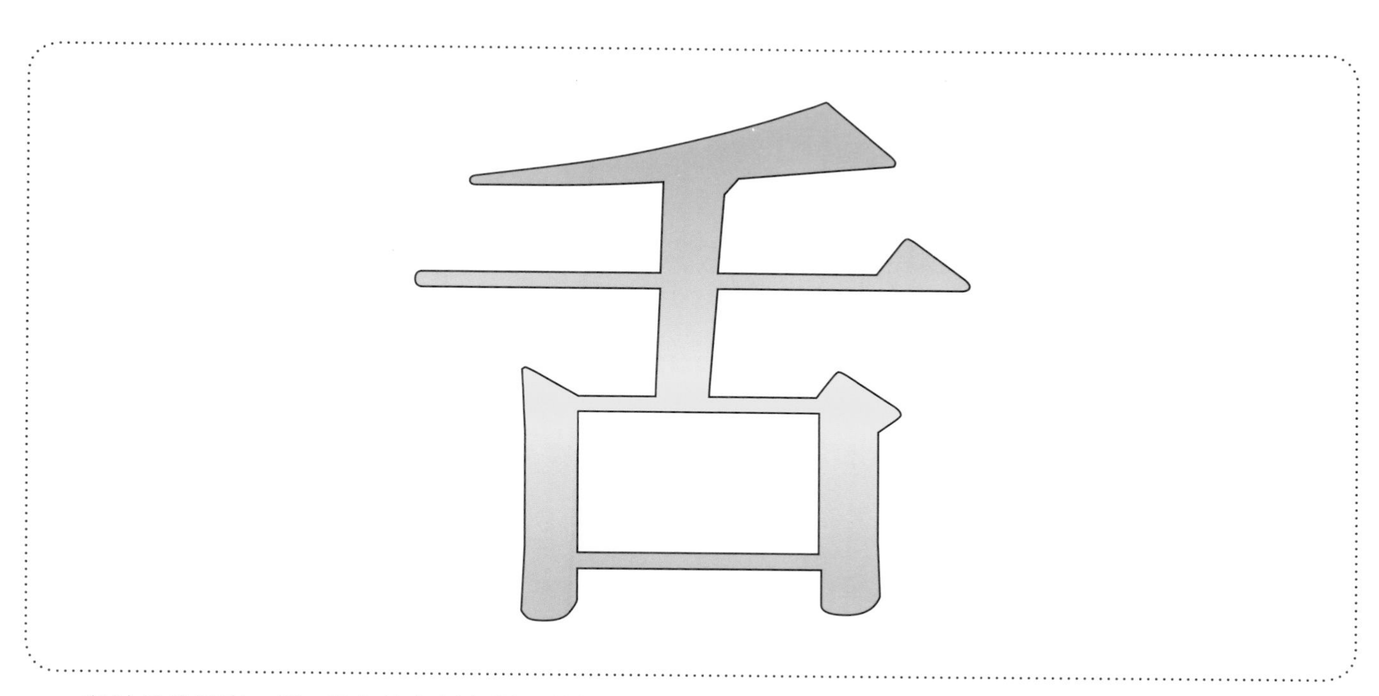

和以前学汉字一样，将卡片上颜色鲜明的部分用心记住，倒映在脑海中，慢慢体会它的笔画构造，用手指或者笔在纸上多次重复它的笔画，边写边告诉胎宝宝：“这个字是‘舌’，‘舌头’的‘舌’。”

什么是舌头呢？孕妈妈对着镜子，吐出舌头，告诉胎宝宝：“这就是舌头，‘舌’就是代表人体的这个部位。你也有自己的舌头，就在你的嘴巴里。”

舌头有什么用呢？舌头是分辨味道的，吃东西的时候，是甜是咸，用舌头尝一尝，就知道了。

舌头是我们说话的工具，说话的时候，舌头配合发音和送气，我们才能说出清晰明确的话语，它的用处可大呢！

斯瑟蒂克的提示

“舌”字也可以表示像“舌”一样东西，帽子上有“帽舌”，火焰上有“火舌”……孕妈妈把讲到的与舌有关的名词，都在脑海里联想出来，给胎宝宝细致讲解。

胎教故事袋：猜猜我有多爱你

当你很爱很爱一个人的时候，究竟有多爱？就像小兔子和大兔子发现的那样，爱，确实是一种难以衡量的东西。孕妈妈可以借这个故事告诉你的胎宝宝，你有多爱他。

小兔子要上床睡觉了，他紧紧抓住大兔子长长的耳朵不放。

他要大兔子认认真真地听他说。

“猜猜我有多爱你？”

“噢，我想我猜不出来。”大兔子说。

“我爱你有这么多。”小兔子说着，使劲儿把两只手臂张得大大的。

大兔子的手臂更长，她也张开手臂，说：“可是，我爱你有这么多。”

小兔子想：“嗯，这真的是很多。”

小兔子又把双臂高高地举起来：“我的手举得有多高，我就有多爱你。”

“我爱你，像我举得这么高。”大兔子说。

这真的很高，小兔子想：“要是我的手臂可以和妈妈一样长，该多好啊。”

小兔子又有了个好主意，他脚顶着树干倒立起来，“我爱你，从我的手一直到我的脚趾头！”

“而我爱你，从你的脚趾头一直到我的脚趾头。”大兔子说着，把小兔子举起来，一下子举过了她的头顶。

小兔子格格地笑：“我爱你，和我跳得一样高！”他跳来又跳去。

大兔子微笑着：“可是，我爱你和我跳得一样高。”她说着往上一跳，耳朵都碰到树枝了。

“跳得可真高。”小兔子想，“要是我也能跳得和妈妈一样高，该多好啊。”

小兔子大叫道：“我爱你，一直穿过小路，到远远的河那里。”

大兔子说：“我爱你，一直穿过了小河，到山的那一边。”

小兔子想：“那真是好远啊。”

他快要睡过去了，什么也想不起来了。

这时，他看看树丛前方，无边的黑夜之中，再没有什么比那天空更遥远了。

“我爱你，一直到月亮上面。”小兔子说着，闭上了眼睛。

“噢！那可真远！”大兔子说，“真的是非常、非常远了。”

于是，大兔子轻轻地把小兔子放在用树叶铺成的床上，躺在小兔子的旁边，带着微笑，小声说道：

“我爱你，从这儿一直到月亮上，再从月亮那儿回到这里来。”

（山姆·麦克布雷尼）

169页答案

7	3	1	2	5	4	6	9	8
5	2	6	9	3	8	7	1	4
4	8	9	6	1	7	3	5	2
9	6	8	4	7	1	5	2	3
1	5	2	3	8	6	4	7	9
3	4	7	5	9	2	8	6	1
2	9	4	7	6	3	1	8	5
8	7	5	1	4	9	2	3	6
6	1	3	8	2	5	9	4	7

闪光卡片：胎宝宝学算术（8）

现在胎宝宝的大脑已经发育完全了，可以接受更多的知识了，孕妈妈可以和胎宝宝学习更多的知识了。

今天学习的还是6以内的算术。

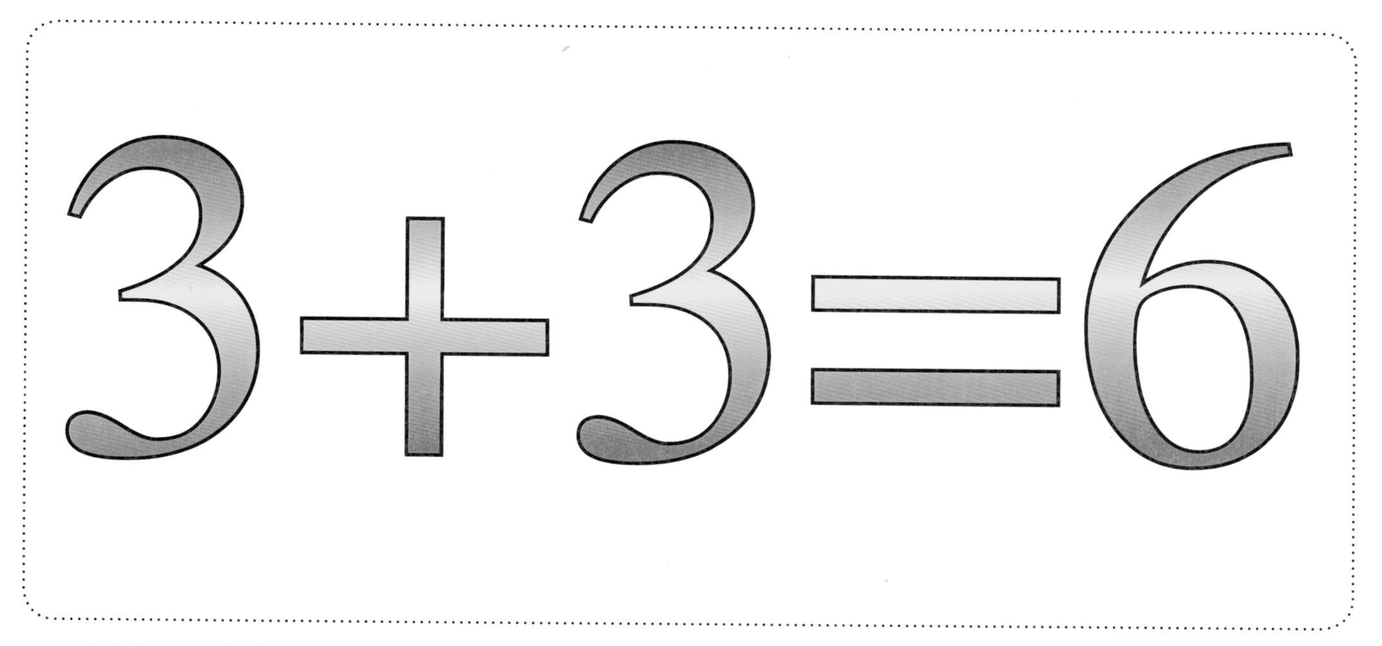

孕妈妈先要将这个算式通过形象和语言传递给胎宝宝。

“3+3是不是等于6呢？”我们可以一起数一数，左手伸出3根手指，一边打开一边数：“1、2、3。”右手同样数出3根手指：“1、2、3。”

这两只手的手指加起来是多少呢？

孕妈妈逐一数出伸出的手指：“1、2……6，确实是6根手指。就是说，3加3就是等于6。宝宝，你算对了没有？”

斯瑟蒂克的提示

重复，可以加深记忆，同时也可以引起胎宝宝更大的兴趣，孕妈妈可以借用生活中的实物，多和胎宝宝数几次，这样效果会更好。

附录：出生后继续巩固胎教成果

胎教让早教变得更容易

孩子出生了，并不意味着胎教的任务就彻底完成了。胎教的主要目的，除了通过妊娠期间的各种方法刺激和促进胎宝宝健康地发育之外，更重要的是，为了胎宝宝出生后迎接更多的知识做储备，也就是为将来的早教创造一个好的开端。

斯瑟蒂克的做法

无论是哪个孩子，在出生后第三天，我就用手指教她数数，在喂奶时也好，抱着逗玩时也好，都不忘对她讲话。在别的母亲看来，对连眼睛都没有完全睁开的新生儿讲话也许是件很可笑的事情。但是因为我相信她们还未出生时，就已经对她们的素质进行了培养，因此，我对自己的做法丝毫不感到怀疑。

斯瑟蒂克的发现

最初的一个月，孩子们一天的大部分时间都是在睡眠中度过的。当她们睁开眼睛时，我总是像她们还未出生时一样轻声地对她们讲话，给她们唱歌，十分珍惜这短暂的交流时间。刚出生后不久的孩子们，对我那充满爱的声音和对她们的照顾，表现出十分满足的样子。

可能有人会说：“出生只有两三个月的宝宝，是不可能听懂大人讲话的。”可我却要说：“请你切勿轻易说出这样的结论，因为在我对她们讲话，为她们读书时，确实常常看到她们是那么专注入神地听着，并露出愉快、安谧的表情。”

斯瑟蒂克的提示

胎宝宝是有记忆的，你在妊娠期间讲给他的那些知识，教他认识的那些东西，以及你曾经给他讲过的故事、念过的童谣、唱过的歌，还有听过的音乐，都会在他的大脑中留下记忆。

在宝宝出生后，你所要做的就是继续这种学习，用熟悉的东西唤起胎宝宝的记忆。如果你这样做了，你会发现，早教在你孩子的身上变得很容易，而且他会将他在胎儿期内学习到的内容逐渐反馈回来，并将做出令你吃惊的反应。

早教即为胎教的重复和延伸

胎教是早教的第一步

从人类大脑的发育过程看，脑细胞在胚胎期形成，从怀孕第4个月开始一直到4周岁是脑细胞成长、发育、分化、髓鞘化的过程，这一阶段称为大脑快速发育期。特别是怀孕第4个月到半岁以内，这个时期大脑的可塑性最佳。此时的教育不仅是知识增长，更重要的是促进大脑发育，为日后的教育奠定基础。

因此，从这个意义上说，胎教本身就是早教不可缺少的一个重要部分。

早教最初是胎教的重复

孩子出生后最初这段时期的教育，最佳的选择就是对胎教内容的重复。

1 教给他胎儿期就学过的知识

在宝宝出生以后，继续将胎儿期就已经学过的“闪光卡片”内容教给他，并且将那些你曾经用来举例说明的实物摆在他面前，他会表现出很熟悉的样子，并且对这种重复学习的内容掌握得会更快。

2 给他读读过的故事

你喜欢的故事，胎宝宝喜欢的故事，在胎宝宝出生后，你一定如数家珍，再将那些故事讲给他，看看他会不会露出满意的表情，而且这也将是促进宝宝语言能力发育最好的语言素材。

3 胎教音乐常常放

那些美妙的音乐，我们曾经称之为“胎教音乐”，实际上可以一直伴随宝宝的童年。那些优美的旋律在宝宝的头脑中根深蒂固，对持续提升宝宝的智力和加强修养很有帮助。

4 让他看到胎儿期“看”到的物品

你可以将那些在怀孕期间就给宝宝看过的物品以及窗外的大千世界，重复指给他看，并一一讲解，就像你曾经讲的一样，这对你来说已经是轻而易举了，对宝宝来说也会是更加容易接受的事情。

早教也是胎教的延伸

我们这本书中所讲的胎教内容，实际上都是一些最初的也是最简单的早教内容，而一个科学的完整的早教系统远非这些内容所能囊括，因此，妈妈们想要更好地提高早教效果，还要在这些内容的基础上进行延伸和拓展。

书中提供的胎教素材同样可以成为宝宝的早教素材，同时它也是使胎教与早教紧密衔接的一个重要工具。

总之，教育孩子和其他任何一项事业一样，想要做好它，同样需要花费大量的心血，在教育上来说，是不存在讨巧的办法的。因此，无论是胎教还是早教，都需要爸爸妈妈用心去做，为自己的孩子创造一个健康幸福的人生。

本书参考并借鉴了如下内容，特此鸣谢：

①刘湛秋．智慧阅读金版训练：五年级上．郑州：河南教育出版社，2006

②冰心．冰心作品精选．北京：光明日报出版社，2009

③徐迟．向着太阳歌唱．北京：商务印书馆，2007

④顾城．顾城的诗．北京：人民文学出版社，2001

⑤宗璞．告别阅读．北京：作家出版社，2007

⑥顾城．顾城的诗．北京：人民文学出版社，2001

图书在版编目(CIP)数据

斯瑟蒂克40周胎教方案/游川主编；汉竹编著. —北京：中国轻工业出版社，2013.9
(汉竹.亲亲乐读系列)
ISBN 978-7-5019-7758-1

Ⅰ.①斯… Ⅱ.①游… ②汉… Ⅲ.胎教—基本知识 Ⅳ.①G61

中国版本图书馆CIP数据核字（2010）第141025号

责任编辑：龙志丹　张　弘　付　佳　王芙洁　　责任终审：劳国强
责任监印：马金路
封面设计：辛　琳　　版式设计：辛　琳

出版发行：中国轻工业出版社（北京东长安街6号，邮编：100740）
印　　刷：北京博海升彩色印刷有限公司
经　　销：各地新华书店
版　　次：2013年9月第1版第9次印刷
开　　本：889×1194　1/20　印张：9
字　　数：250千字
书　　号：ISBN 978-7-5019-7758-1　定价：39.80元
邮购电话：010-65241695　85128352　传真：85111730
发行电话：010-85119835　85119793　传真：85113293
网址：http：//www.chlip.com.cn
E-mail：club@chlip.com.cn
如发现图书残缺请直接与我社邮购联系调换
130986S7C109ZBW